Dindification

Les Éditions Transcontinental
1100, boul. René-Lévesque Ouest, 24e étage
Montréal (Québec) H3B 4X9
Téléphone : 514 392-9000 ou 1 800 361-5479
www.livres.transcontinental.ca

Pour connaître nos autres titres, consultez le **www.livres.transcontinental.ca.**
Pour bénéficier de nos tarifs spéciaux s'appliquant aux bibliothèques d'entreprise
ou aux achats en gros, informez-vous au **1 866 800-2500.**

**Catalogage avant publication de Bibliothèque et Archives nationales du Québec
et Bibliothèque et Archives Canada**

Fraser, Pierre
Dindification : développer son esprit critique dans le monde du prêt-à-penser
Comprend des réf. bibliogr.
ISBN 978-2-89472-483-5
1. Pensée critique. 2. Jugement. I. Titre.
BF441.F72 2011   153.4'2   C2011-940227-0

Révision : Lyne Roy
Correction : Diane Grégoire
Mise en pages : Diane Marquette
Conception graphique de la couverture : Studio Andrée Robillard
Impression : Transcontinental Gagné

Imprimé au Canada
© Les Éditions Transcontinental, Dépôt légal – Bibliothèque et Archives nationales du Québec,
1er trimestre 2011
Bibliothèque et Archives Canada

Nous reconnaissons l'aide financière du gouvernement du Canada par l'entremise du Fonds du
livre du Canada pour nos activités d'édition. Nous remercions également la SODEC de son appui
financier (programmes Aide à l'Édition et Aide à la promotion).

Les Éditions Transcontinental sont membres de l'Association nationale des éditeurs
de livres (ANEL

Pierre Fraser

Dindification

Les Éditions
Transcontinental

« Dès que vous vous retrouvez du côté de la majorité, c'est le temps de prendre une pause et de réfléchir. »

Mark Twain

PRÉFACE

L'idée de dindification est surprenante ; Pierre Fraser a su en faire un concept. Au-delà de l'imagerie triviale qui fait de nous des volatiles insoucieux de l'avenir et ignorants du sort qui nous guette, il est question ici d'un processus social général, dont nous sommes à la fois victimes et acteurs. La dindification est une tendance qui nous propose chaque fois une certaine vision du monde. Sans doute allons-nous protester et arguer de notre lucidité, de notre vigilance. Là n'est pas la question. Nous pouvons être de très bonne foi, et le dindificateur, comme le dit bien Pierre Fraser, est celui qui a foi en son discours. Il nous suffit d'adhérer à un ensemble de valeurs et nous voici « euphorisés », c'est-à-dire participant de ce système de valeurs.

Pierre Fraser montre bien comment, par l'effet combiné des journalistes, des gourous, des experts et des spécialistes, la contagion et l'euphorisation atteignent le grand public. Ce qu'il met surtout en évidence, c'est que la dindification consiste à tromper notre vigilance. On nous gave de prêts-à-penser. On nous dit de nous comporter de telle ou telle façon, d'adhérer à telle ou telle idée. Et cela, toujours pour d'excellentes raisons. Nous devenons des gogos. Nous entrons dans un processus de béatitude mortelle. Nous ne pouvons envisager le pire. Et pourtant, le pire est en train de nous arriver.

Le danger de la dindification n'est pas mineur et ses effets sont autant pervers que redoutables. Il est urgent de le comprendre et d'agir. C'est la portée de l'ouvrage de Pierre Fraser et sa puissance : autant guide que manuel de survie ! La lecture de ce traité de méthodologie innovante pour la compréhension des mouvements sociaux actuels est plus qu'à recommander.

Georges Vignaux
Directeur de recherche scientifique honoraire
CNRS Paris

Table des matières

Introduction 13

Partie 1
QUAND HIER DEVIENT DEMAIN

Chapitre 1 • **Tendances 101** 21

Chapitre 2 • **L'événement imprévisible** 31

Partie 2
L'ÉCOLOGISME
À la recherche du combattant

Chapitre 3 • **Sauver la planète** 39

Chapitre 4 • **Dans la gueule du consensus** 53

Chapitre 5 • **Première démission personnelle** 63

Partie 3
LE RÉSEAU
À la recherche de l'autonomie

Chapitre 6 • Une pièce interchangeable 73

Chapitre 7 • Être un nœud du réseau 85

Chapitre 8 • Deuxième démission personnelle 97

Partie 4
INTERNET
À la recherche de l'efficacité

Chapitre 9 • Une société « googlifiée » 107

Chapitre 10 • L'explosion du moi 117

Chapitre 11 • Troisième démission personnelle 127

Conclusion • Osez savoir ! 133

Remerciements 139

Notes 141

Introduction

Imaginez une dinde. Pendant mille jours, le gentil fermier lui prodigue de délicates attentions tout en s'assurant de son bien-être. Chaque jour qui passe confirme à l'oiseau que le fermier est vraiment très gentil. La dinde n'a aucune raison de croire que le pire puisse lui arriver ; pour elle, tout va pour le mieux dans le meilleur des mondes. De son point de vue, demain sera forcément la réplique d'hier ou d'aujourd'hui. Soudain, contre toute attente, le mille et unième jour est fatal : on lui tranche la tête. Morale de l'histoire : mille jours durant, la dinde ne se sera jamais doutée qu'elle servira de repas. Par contre, comme le fermier l'avait prévu depuis le début, ce mille et unième jour est un jour heureux, synonyme de repas sur la table ou de profit. Ce comportement qu'adopte la dinde est ce que je nomme un **processus de dindification,** une opération qui consiste à devenir crédule ; et la dinde, dans l'histoire, c'est vous.

Partant du principe que la société nous fait tous passer par différentes étapes de dindification, nous tenterons de comprendre la mécanique à l'origine des grandes tendances sociales. Nous verrons comment elles se forment, se développent, s'effritent et s'effondrent.

Pour mieux comprendre mon propos, observez bien la courbe que voici.

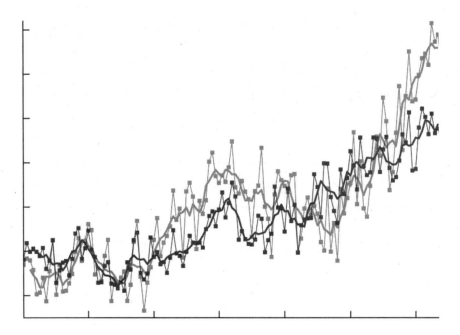

Que concluez-vous en la voyant, peu importe ce qu'elle représente[1] ? Vous pensez automatiquement qu'elle continuera son mouvement à la hausse. Pour vous, il ne peut en être autrement, car il y a progression. En vous basant sur les données du passé, tout comme la dinde, vous n'avez aucune raison de croire que cette courbe pourrait prendre une autre direction. La mécanique à l'œuvre derrière ce processus est **le biais de confirmation.**

Comme nous avons naturellement tendance à penser que demain sera la réplique d'hier (ou d'aujourd'hui), nous avons la certitude que la chose se poursuivra indéfiniment. La question que nous devons ici nous poser est celle-ci : pourquoi n'envisageons-nous pas autre chose ? La réponse est simple : parce que nous cherchons constamment à confirmer nos premières hypothèses. En fait, c'est une des particularités de notre cerveau. Le biais de confirmation est à la base même de l'ensemble des décisions que nous prenons collectivement. Peu importe le domaine, qu'il s'agisse d'économie, d'écologie, de santé, d'alimentation, de réseaux sociaux, de religion ou de sécurité, nous adhérons à un discours en fonction du biais de confirmation. Et c'est cette adhésion aux hypothèses qu'on nous présente qui crée les grandes tendances sociales dans lesquelles nous sommes parfois impliqués collectivement.

Pour vous donner une idée un peu plus précise de ce que j'évoque, j'aimerais revenir sur deux événements distants de plus de trois siècles, qui montrent à quel point nous sommes toujours prêts à nous laisser euphoriser malgré le prix à payer.

En 1593, aux Pays-Bas, la première grande dindification officielle – répertoriée et documentée – s'est produite. Un certain Conrad Guetner importe alors de Constantinople le premier bulbe de tulipe. À cause de sa rareté, la tulipe devient rapidement une plante permettant d'afficher son statut social. Pour ajouter à la rareté, la plante contracte un virus. Résultat : les pétales se parent de jolis effets ressemblant à des flammes. Le bulbe de tulipe attire alors les spéculateurs, et les prix flambent.

Dès janvier 1634, la classe moyenne hollandaise succombe aux promesses de rendement. Le plus fou dans l'histoire, c'est que les acheteurs de bulbes n'avaient pas du tout l'intention de les planter ! Ils voulaient tout simplement les acheter au plus bas prix possible pour les revendre au plus haut prix possible. Entre 1634 et 1637, toute la nation hollandaise entre dans le bal de la spéculation, mettant en gage terres, cheptels, fermes et épargnes de toute une vie pour acquérir ne serait-ce qu'un bulbe. En l'espace de quelques mois, le prix du bulbe atteint 20 fois sa valeur initiale. Soudain, c'est le mille et unième jour : l'ensemble de l'économie néerlandaise s'effondre parce que les gens avaient investi dans ce qui n'avait plus de connexion avec la réalité.

Croyez-le ou non, c'est pendant cette période qu'est né le concept de marché à terme, encore très actuel aujourd'hui sur les grandes places boursières du monde. Pendant cette période, on s'est également mis à spéculer sur les contrats à terme. En fait, on spéculait sur des bulbes de tulipes qui n'existaient même pas ! Ça ne vous rappelle pas quelque chose ?

Plus de trois siècles plus tard, nous avons récidivé avec la bulle technologique. Entre 1994 et 2000, les experts et les spécialistes en économie et en finance ont inventé le concept de la nouvelle économie. Dans cette nouvelle économie, il n'était plus du tout nécessaire d'évaluer une entreprise en se basant sur ses actifs, ses projets et son marché ; l'évaluation se faisait plutôt à partir de ce qu'elle pourrait éventuellement rapporter. Avouez que cela sent le bulbe de tulipe réchauffé, non ? Avec la montée en puissance d'Internet, on nous a fait croire que nous étions aux portes d'une quatrième révolution industrielle. Même plus : on nous a fait croire qu'il s'agissait d'une nouvelle croissance économique sans limites. Et nous avions raison de le croire : chaque fois que des gens investissaient dans ces entreprises qui entraient en Bourse, ils réalisaient des profits faramineux en une seule journée ! Les dindes sont entrées dans le jeu, tout euphorisées par l'espoir de faire fortune, car chaque investissement effectué par les autres dindes confirmait que c'était la chose à faire. Soudain, le mille et unième jour est arrivé, en mars 2000. Il n'y avait plus de capitaux disponibles, le rendement du capital investi n'ayant jamais existé.

Le but de ce livre est de vous démontrer comment nous nous laissons imprégner par des discours auxquels nous adhérons tous sans distance critique. Ce faisant, ces discours ont de profonds impacts sur nos vies. Voici le trajet que je vous propose.

Dans la première partie, vous découvrirez ce qui se cache sous l'épiderme de la dinde. Vous appréhenderez la mécanique à l'origine des tendances qui deviennent des systèmes de valeurs auxquels vous adhérez sans vous poser de questions. Surtout, vous mesurerez la puissance de l'imprévisible, quand vous avez pourtant la certitude que tout est contrôlable.

Dans la deuxième partie, vous verrez comment l'écologisme a su structurer tout un système de valeurs qui prétend que votre comportement de consommateur compulsif est la cause de tous nos malheurs collectifs actuels et à venir. Constat ? Vous devez vous repentir et faire acte de contrition. Malgré vous, vous êtes devenu à la fois un conscrit et un combattant du réchauffement climatique. L'urgence de la situation semble exiger réparation tellement la planète est malade de l'homme. Et vous y croyez…

Dans la troisième partie, vous constaterez comment le réseau est venu bouleverser la vie paisible et tranquille de la classe moyenne. Il fut un temps où vous pouviez vous construire un récit de vie durable, grâce à votre emploi, tout en mettant de l'avant votre talent et votre expérience. Tout ça est à mettre à la poubelle. On n'exige plus de vous ces deux qualités ; vous avez plutôt besoin de compétences à profusion que vous devez continuellement remettre à jour selon la technologie à la mode. Et vous y croyez...

À la lecture de la quatrième partie, vous verrez à quel point vous contribuez généreusement à l'enrichissement de cette œuvre collective que sont le Web et ses dérivés. Les Google, Facebook et autres Twitter de ce monde moissonnent gratuitement tout ce que vous produisez pour en retirer des profits colossaux. Avec l'arrivée des réseaux sociaux, de surcroît, on vous oblige à l'ouverture, à la collaboration, au partage et à la transparence. La vie privée n'a plus de sens dans un tel univers. Et vous y croyez...

Et vous y croyez, encore et encore, jusqu'au mille et unième jour...

Y a-t-il moyen d'éviter de se comporter comme une dinde et de constamment faire les frais du mille et unième jour ? Avant même de tenter de répondre à cette question, je vous renvoie à votre propre comportement pendant l'été 2008, quand le prix du pétrole flambait. De l'essence à 1,50 $ le litre ? Non merci ! Pourtant, dès le prix revenu à la normale, vous avez repris vos bonnes vieilles habitudes. Pire encore, les ventes de véhicules 4 x 4 et de véhicules multisegments ont monté en flèche. Même le PDG de Ford s'en est étonné. C'est tout dire !

Nous verrons qu'il existe une solution simple, à la portée de tous. Mark Twain l'a déjà entrevue : « Dès que vous vous retrouvez du côté de la majorité, c'est le temps de prendre une pause et de réfléchir. » Le problème est que cette solution n'est pas simple à mettre en œuvre à cause de notre tendance naturelle à vouloir confirmer nos premières hypothèses.

Bienvenue dans l'univers de la dinde !

Partie 1

Quand hier devient demain

Chapitre 1

Tendances 101

maginez-vous au point de convergence de trois forces puissantes : les visions du monde proposées par votre milieu, les médias et les événements imprévisibles. Ces trois forces agissent constamment sur vous, souvent à votre insu, et déterminent l'impact qu'elles auront sur vous, tout comme elles déterminent comment se forment, s'effritent et s'effondrent les tendances. Voici grosso modo comment la chose fonctionne.

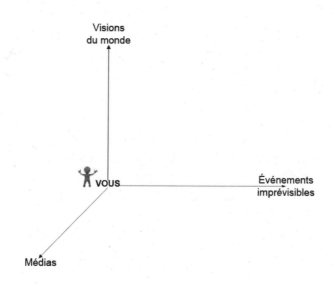

Chaque collectivité fait appel à différents systèmes de valeurs. Chacun véhicule une vision du monde à laquelle vous êtes libre d'adhérer ou non, ou d'y adhérer en partie. Pour véhiculer et diffuser ces visions du monde, il y a les médias : livres, journaux, magazines, télé, radio, Internet, réseaux sociaux, etc. Tout cela forme la trame sociale de votre milieu de vie.

Comme bien des gens, vous n'adhérez pas à toutes les valeurs que propose une tendance. Pourquoi ? Parce que certaines vous irritent et entrent en conflit direct avec votre propre vision du monde. Lorsque vous refusez d'adhérer aux valeurs de certaines tendances, vous leur opposez des gestes de désistement ou d'ajustement, autrement dit, des refus. Ceux-ci créent des tensions et mettent la table pour l'émergence de nouvelles tendances potentielles. Soudain, un événement imprévisible – que je décrirai en détail au prochain chapitre – vient tout bouleverser, et certains refus sont alors mis en évidence, sous l'effet de ce même événement. Vous vous heurtez alors à de nouvelles valeurs et à de nouveaux comportements auxquels vous devez ou non adhérer. C'est un cycle sans fin. Ce processus peut être résumé ainsi :

1. Les médias font circuler les valeurs d'une société.

2. Les visions du monde sont constamment soumises aux tensions de nouvelles valeurs ou de remises en question des valeurs.

3. Des événements imprévisibles viennent contre toute attente bouleverser en profondeur des valeurs auxquelles vous adhériez.

Qu'est-ce qu'une tendance ?

L'écologisme, le capitalisme, le néolibéralisme, le toyotisme et tout ce qui se termine en « isme » sont des systèmes de valeurs, car ce suffixe est utilisé pour décrire une doctrine, un dogme ou une idéologie. Par exemple, dès qu'un système de valeurs acquiert le suffixe « isme » et qu'il mobilise des sociétés entières, nous sommes en présence d'une vision du monde.

Pour rappel, un système de valeurs est un ensemble cohérent et hiérarchisé de valeurs (règles, principes, normes, comportements) partagées par une collectivité. La finalité d'un système de valeurs est de normaliser le comportement et les échanges au sein d'une collectivité afin de lui fournir une vision du monde cohérente et concordante[2]. Le système de valeurs repose sur un système de réponses pour expliquer le monde. Celui-ci propose un ensemble d'idées qui explique et démontre les relations qui existent entre ces mêmes idées. Un système de réponses ne sert pas à obtenir des réponses, car dans un système de réponses, les réponses sont déjà fournies.

Prenons un exemple concret. Au fil des 40 dernières années, l'écologie a su mettre en place des idées efficaces extrêmement mobilisatrices ; l'écologie est devenue écologisme. Au départ, l'écologie, en tant que science, était un système pour obtenir des réponses à propos de la place que l'humain doit occuper dans son environnement. Lorsque les idées de l'écologie ont été reprises par des gens pour en faire un système de valeurs, celui-ci a graduellement glissé vers un système qui fournit des prescriptions et des réponses. C'est le propre de tous les systèmes de valeurs, et c'est là que se situe toute leur puissance. Lorsqu'un système de valeurs est en mesure de vous fournir ce que vous devez savoir, et comment doit être organisé ce savoir, vous êtes en présence d'un système capable de mobiliser des collectivités entières.

Une des propensions de l'être humain, et elle est très forte, est de préférer des réponses à l'absence de réponses. En d'autres termes, l'humain préfère quand d'autres pensent, organisent et structurent le monde pour lui. Une autre caractéristique de l'humain est d'être parfois têtu. Malgré toute la puissance mobilisatrice d'un système de valeurs, il y aura toujours des gens en désaccord avec les valeurs véhiculées par un système. Ces gens, qui répètent quotidiennement des gestes d'ajustement ou de désistement envers certaines valeurs que propose une tendance, sont très importants.

Voici un exemple. Dernièrement, au supermarché, j'ai vécu une aventure singulière. Comme j'utilise encore des sacs de plastique, ce qui fait de moi *de facto* un hérétique et un apostat de la foi verte, j'en ai demandé trois à la caissière. Avec un aplomb certain, la cliente tout juste derrière moi, avec son bébé dans la poussette, m'a dit : « Monsieur, êtes-vous conscient de votre geste ? Avez-vous pensé à l'avenir de mon enfant et de vos petits-enfants ? Voulez-vous que la terre et les océans deviennent un immense dépotoir ? Ce n'est pas avec des gens comme vous que nous ferons avancer la cause… » (Je tiens à vous le préciser immédiatement, ainsi vous saurez à quelle enseigne je loge : j'ai une relation très mouvementée avec ceux qui défendent des causes. Pour moi, « la cause » est un mot honni.)

La jeune femme n'était pas du tout arrogante. Elle exprimait un point de vue, celui de tous ceux qui adhèrent au système de valeurs que propose l'écologisme.

« Bonjour madame ! lui dis-je sur un ton respectueux. Vous allez bien ? Moi, je vais très bien. Mangez-vous bio ?

– Oui, je mange bio. C'est meilleur pour la santé et pour l'environnement. Nous devons tous combattre le réchauffement climatique, chacun à sa façon, me répondit-elle d'un ton assuré.

– Et votre bébé, mange-t-il bio lui aussi ?

– Mon bébé mange bio. Je ne lui ferai pas consommer des produits transformés qui sont mauvais pour la santé. »

Cette jeune femme a adhéré à un récit puissant et mobilisateur, celui de l'écologisme. Elle mélange joyeusement tous les concepts. Par contre, en ce qui me concerne, mon attitude envers l'écologisme, et non pas l'écologie, fait en sorte que je génère des refus. Je ne suis pas le seul à le faire. Nous sommes des centaines de milliers à ne pas adhérer à toutes les valeurs que propose l'écologisme. Arrêtons-nous maintenant sur une deuxième définition, qui nous permettra de mieux comprendre la notion de refus.

Le refus est l'ensemble de tous les gestes de désistement ou d'ajustement que les membres d'une collectivité accomplissent envers les irritants d'une tendance.

Dans cette définition, le mot essentiel est **irritant**. L'irritant d'une tendance est ce qui nous agace et qui ne correspond pas à notre vision du monde. Ce qui m'irrite n'irrite pas une personne qui souscrit aux valeurs d'une tendance ; bien au contraire, les valeurs la stimulent. En ce qui concerne la jeune femme, ce stimulant fait en sorte qu'elle est devenue un soldat du combat contre les gaz à effet de serre. Pourquoi ? Parce que des experts et des gourous de l'écologie, plutôt que de décrire objectivement la réalité du réchauffement climatique, ont procédé à une mise en fiction de cette même réalité environnementale.

Bon, je viens d'introduire un nouveau concept : la mise en fiction de la réalité. De quoi s'agit-il ? La mise en fiction de la réalité consiste à plaquer des récits sur la réalité. Par exemple, Al Gore a merveilleusement réussi cette mise en fiction de la réalité avec son documentaire *Une vérité qui dérange*. Yann Arthus-Bertrand, avec son film *Home,* en a fait autant en nous balançant qu'il restait à l'humanité 10 ans à vivre. Dans ces deux productions, on nous raconte une histoire. On plaque des récits sur la réalité pour nous passer un message. Ce n'est pas la réalité qui y est décrite, c'est plutôt une fable qui nous est racontée. Il ne s'agit pas d'une théorie, mais d'un discours.

Les histoires d'Yann Arthus-Bertrand et d'Al Gore sont cohérentes, puisqu'on n'y retrouve pas de contradictions internes, ce qui est le propre de toutes les bonnes histoires pour qu'elles semblent minimalement crédibles. Par contre, elles ne concordent pas avec l'épreuve des faits et de la réalité. Je m'explique. On peut admettre qu'il y a réchauffement climatique, peu importe l'origine de ce réchauffement. Par contre, l'extrapolation – catastrophes naturelles, épidémies, rivages côtiers submergés, péril alimentaire, apocalypse, etc. – qui se rattache au réchauffement climatique, elle, n'a aucun fondement scientifique. Elle n'est pas concordante avec la réalité, elle est de l'ordre du probable, voire de l'idéologique. Conséquemment, toutes les catastrophes annoncées par les prêtres de l'écologisme sont discutables. Ces gens font de la politique et non de la science.

Partout dans la société, des gens accomplissent des gestes d'ajustement ou de désistement envers les valeurs proposées par l'écologisme. Certaines personnes refusent de recycler, d'utiliser les transports en commun, de consommer des produits équitables, de manger bio, de choisir des sacs réutilisables. Elles continuent plutôt d'acheter des véhicules 4 x 4, de manger des aliments en provenance de l'autre bout de la planète ou d'acheter des produits suremballés. Prenez-vous en exemple. Adhérez-vous à toutes les valeurs proposées par l'écologisme ? Permettez-moi d'en douter.

Quand je regarde le comportement de mes voisins, je vois une suite de gestes de désistement et d'ajustement envers l'écologisme. Un de mes voisins recycle tout ce qu'il peut. Il a deux gros bacs de recyclage, même un composteur. Par contre, il a un véhicule 4 x 4 et une BMW. Au printemps, il nettoie son entrée de garage avec son tuyau d'arrosage. L'été venu, il utilise son foyer extérieur lors des soirées fraîches. Il brûle du vrai bois. Quelle hérésie ! Il consomme bio, car c'est santé, me dit-il. Il boit du café équitable, car il faut partager la richesse, me dit-il. Pourtant, il prend son 4 x 4 pour se rendre au supermarché situé à deux coins de rue. Il a fait installer un système de chauffage pour l'eau de sa piscine. Il déteste tous les activistes, mais il assiste aux réunions du conseil d'arrondissement pour s'assurer que son quartier ne fasse pas les frais d'un développement urbain sauvage.

Vous l'aurez compris, nous ne sommes pas des êtres monolithiques. Chaque jour, tous autant que nous sommes, nous nous accommodons ou non des valeurs proposées par l'écologisme en fonction de notre propre vision du monde. Nous amalgamons différentes valeurs pigées à gauche et à droite pour nous forger une vision du monde cohérente, que nous croyons concordante avec la réalité. Comment y arrivons-nous ? En prêtant foi aux discours de tous ceux qui nous proposent des valeurs, ceux-là même que je nomme « dindificateurs », qui nous rendent encore plus dindes !

Les dindificateurs

Les dindificateurs sont faciles à reconnaître : ils euphorisent les dindes et débitent des discours rassurants. Ils nous font croire que demain sera la réplique d'hier ou d'aujourd'hui. À l'écoute de leurs discours, des centaines de milliers, voire des millions de personnes sautent à pieds joints dans une tendance et en embrassent les valeurs.

Qui sont au juste ces dindificateurs ? Ce sont les gourous, les spécialistes et les experts autoproclamés. Délimitons ici le champ d'action de chacun.

◉ **Le gourou** détermine la nature du discours de la tendance. Il s'impose dans son domaine comme une figure charismatique. Son discours, cohérent, fait la promotion sans distance critique des valeurs proposées par une tendance. On retrouve, en écologisme, les Al Gore, Yann Arthus-Bertrand, Nicolas Hulot, Hubert Reeves, David Suzuki, Steven Guilbeault, Laure Waridel et bien d'autres. Du côté du Web 2.0, on retrouve des gens comme Jeff Jarvis, Clay Shirky et Mitch Joel, sans compter les innombrables gourous locaux sévissant un peu partout. En marketing, le gourou qui nous vient à l'esprit est Seth Godin. Les médias invitent systématiquement les gourous afin qu'ils donnent leurs points de vue sur un événement ou un phénomène de société. Présents sur toutes les tribunes jusqu'à saturation, les gourous sont la preuve vivante que les médias peuvent fabriquer des gens qui possèdent le savoir avec un grand S. Le problème du gourou, c'est qu'il ne reconnaît pas les limites de son savoir et qu'il les outrepasse régulièrement sans en être conscient.

◉ **Le spécialiste** explique pour sa part la nature de la tendance. Il possède généralement une bonne formation dans le domaine qu'il prétend connaître. Il a acquis sa réputation par ses faits d'armes. Par exemple, à la suite d'un écrasement d'avion, on vous sort le spécialiste en aviation. Il ne cherche pas à faire la promotion des valeurs véhiculées par une tendance. Il veut simplement démontrer qu'il sait de quoi il parle. Le problème du spécialiste, c'est qu'il reconnaît les limites de son savoir, mais dès qu'on l'oblige à les franchir, il extrapole.

◉ **L'expert,** quant à lui, est une espèce bien particulière. Il n'est ni gourou ni spécialiste, mais à mi-chemin entre les deux. Chaque média, écrit ou électronique, a pour un domaine donné son expert maison qui s'abreuve auprès des gourous et des spécialistes. Au Québec, il y a Steven Guilbeault, ancien étudiant en théologie devenu écologiste. En France, il y a l'aventurier sportif devenu lui aussi écologiste, Nicolas Hulot. Ces hommes sont devenus des experts, et les médias les consultent souvent pour avoir l'heure juste sur un sujet. Mais, il y a pire encore : plusieurs journalistes, qui sont au demeurant des journalistes, ont eu un jour la piqûre pour un sujet donné. Ils deviennent alors des experts maison en économie, en finance, en environnement, etc. Et des millions de gens les écoutent, même si ces « experts » ne fondent pas leurs hypothèses sur l'observation empirique ou sur la vérification expérimentale. Le problème de l'expert, c'est qu'il n'a aucune idée de l'étendue de son ignorance.

◉ **L'expert autoproclamé** est celui qui répète le discours des trois dindificateurs précédents. L'autoproclamation n'est pas un phénomène récent. Internet a simplement décuplé la capacité de reproduction des experts autoproclamés. Par exemple, dans une étude réalisée par B. L. Ochman, on a recensé en 2009 plus de 15 740 experts autoproclamés des médias sociaux[3]. Un tel nombre d'experts autoproclamés qui s'appuient sur les réflexions et les hypothèses des gourous, spécialistes et experts n'est pas innocent et a forcément un impact. On peut les considérer comme les grands perroquets du discours des trois autres. Ils sévissent généralement sur les blogues et les réseaux sociaux. Leur rôle est de répéter inlassablement les mêmes rengaines, pensant ainsi se positionner comme des gens ayant une opinion structurée et valable. Le problème de l'expert autoproclamé, c'est qu'il ne sait pas qu'il est ignorant. Il a la ferme conviction de savoir de quoi il parle.

Gourous, spécialistes, experts et experts autoproclamés permettent à un système de valeurs de mobiliser des sociétés entières. Dans l'écosystème social, leur rôle est essentiel[4]. Quand on y regarde de plus près, il y a de tout temps eu des dindificateurs. Par exemple, si personne n'avait propagé, à une certaine époque, l'idée de démocratie, où en serions-nous ? De même pour l'esclavage et la ségrégation des Noirs aux États-Unis, le nazisme, le socialisme, le communisme, le capitalisme, etc. Les dindificateurs ont toujours raison, de leur point de vue, il va sans dire. Les idées, comme tout le reste, sont toujours plus séduisantes et racoleuses quand elles sont encore dans leur emballage. Et c'est le rôle des propagateurs de faire miroiter le potentiel d'une vie meilleure à partir des valeurs proposées.

Les médias

Les médias nous immergent dans un flux incessant de valeurs propres à une collectivité. Il fut une époque, avant l'invention de l'imprimerie, où ces valeurs étaient véhiculées par la pierre, par les manuscrits et par les traditions orales. La diffusion des valeurs était non seulement lente, mais elle était assurée par l'État et le clergé.

Avec l'arrivée de l'imprimerie, la donne a changé. On a mis entre les mains de plusieurs la possibilité de diffuser de nouvelles valeurs, comme de renforcer les valeurs en place. On a ici augmenté de plusieurs crans la vitesse de diffusion des valeurs et des idées dans une collectivité. À la fin du XIXe siècle, l'arrivée des journaux a démocratisé à grande échelle l'expression de l'opinion.

Par la suite, les médias sont entrés dans une ère de vitesse de diffusion des valeurs et des idées jamais égalée auparavant : télégraphe, téléphone, presses rotatives, radio, télévision, Internet ont mis les valeurs de la planète à la portée de chacun. Cette vitesse de diffusion des valeurs et des idées nous touche tous. Par exemple, avec les réseaux sociaux et les chaînes d'information, nous voyons s'entrechoquer en temps réel les valeurs de différentes tendances.

Les visions du monde

Une personne peut entretenir différentes visions selon les hypothèses qu'elle a à propos du monde et selon la collectivité dans laquelle elle vit. Par exemple, vous pourriez être un végétarien qui croit fermement que manger de la viande est malsain, car vous fondez votre vision du monde sur une philosophie bouddhiste. Vous pourriez tout aussi bien être un amateur de chasse et de pêche, tout en étant respectueux de l'environnement. En fait, dans les sociétés occidentales, vous pouvez adhérer à toutes les valeurs proposées par différentes tendances, même si elles semblent parfois en contradiction. Très simple, le mécanisme à l'œuvre derrière votre vision du monde se nomme le syncrétisme, un amalgame de différentes valeurs que vous prenez à la volée à gauche et à droite. Le nouvel âge en est un exemple patent, puisant à une multitude de croyances à la fois chrétiennes et orientales qui s'intriquent.

Par contre, d'autres personnes préféreront rattacher leur vision du monde à des systèmes de valeurs déjà solidement implantés, comme les grandes religions. Il faut retenir que toutes les valeurs proposées par différentes visions du monde sont constamment en concurrence dans votre espace mental. À vous de construire votre vision du monde parmi celles que propose votre environnement social immédiat !

Faisons le point

Maintenant que vous savez comment se crée une tendance, voici ce qu'il faut retenir :

◉ Une tendance est un ensemble d'idées mobilisatrices et structurantes, collectivement partagées, qui a acquis le statut de système de valeurs et qui propose une vision du monde.

◉ Les valeurs proposées par une tendance sont véhiculées par des dindificateurs – gourous, spécialistes, experts et experts autoproclamés – qui utilisent les médias. Ces gens nous font croire que demain sera la réplique d'hier ou d'aujourd'hui ; leurs discours nous rendent crédules.

◉ Dans un système de valeurs, il y a des irritants qui entrent en conflit direct avec notre propre vision du monde.

◉ La situation conflictuelle engendrée par les irritants d'une tendance génère des refus, c'est-à-dire des gestes de désistement et d'ajustement envers une tendance. Ces refus créent des tensions entre les différentes visions du monde en concurrence dans une collectivité.

Au moment où j'écris ces lignes, **3 grandes tendances** se partagent votre espace cognitif :

1. **L'écologisme.** Le mot qui résume le mieux ce système de valeurs est « conscription ». Le discours a atteint un tel niveau consensuel, qu'il a fait de chacun de nous un conscrit pour le combat contre le réchauffement climatique. Selon les gourous de l'environnement, nous sommes confrontés à une situation d'urgence telle que le temps n'est plus à la discussion, mais à l'action.

2. **Le réseau.** Cette tendance privilégie la compétence au détriment du talent et de l'expérience. Vous êtes devenu un simple nœud dans un réseau auquel on peut se connecter et duquel on peut se déconnecter à volonté. Malgré nous, nous sommes devenus performants et concurrentiels. Nous sommes devenus les entrepreneurs de notre propre vie.

3. **L'explosion du moi.** À travers les réseaux sociaux, cette dernière tendance nous entraîne dans un incessant processus de promotion de soi par technologies interposées. Nous avons la capacité de consommer, de produire et de diffuser sans contrainte tous les contenus que nous voulons.

Afin de comprendre pourquoi ces trois grandes tendances (l'écologisme, le réseau et l'explosion du moi) sont en passe de métamorphoser en profondeur nos sociétés, examinons ensemble un autre point important : l'événement imprévisible.

L'événement
imprévisible

Peu importe l'environnement dans lequel vous vous trouvez, des événements imprévisibles – le mille et unième jour de la dinde – sont susceptibles de survenir. Ils bouleverseront vos valeurs et, par conséquent, les visions du monde d'une collectivité.

Replacez-vous un instant en 1970. Auriez-vous pu prévoir que la télécommande serait inventée, modifiant par le fait même d'un seul coup votre statut de téléspectateur ? Auriez-vous pu prévoir que les missiles balistiques de la guerre froide présageaient déjà la mise en orbite des satellites de communication ? Auriez-vous pu prévoir que la décision du Pentagone, en 1960, de fournir à l'armée américaine une structure en réseau nommée Arpanet allait devenir Internet ? Est-ce qu'Internet présageait la création et la montée de Google, de Twitter et de Facebook ? Il vous est impossible de répondre par l'affirmative à ces questions, car il est impossible de prévoir le futur en se basant sur le passé. Et pourtant, les choses évoluent et les sociétés se transforment par des événements imprévisibles.

L'idée maîtresse est la suivante : les événements imprévisibles dictent l'histoire, tout comme ils donnent un nouveau tournant à la vie de la dinde, des investisseurs, etc. Nous n'avons strictement aucune idée des événements qui peuvent survenir et qui peuvent chambouler une collectivité en profondeur. Comme l'a très bien démontré Nassim Nicholas Taleb dans son livre intitulé *The Black Swan*[5], lorsqu'un événement imprévisible survient et modifie la trame sociale courante, on peut distinguer ces **3 étapes** :

1. Avant l'événement, rien, strictement rien, ne peut permettre de prédire qu'il se produira.

2. L'événement, lorsqu'il se manifeste, a un impact considérable.

3. Après l'événement, les explications fusent de toutes parts pour rendre explicable et prévisible ce qui ne l'est pas.

Ce qui m'amène à la définition suivante :

> **Un événement imprévisible peut survenir sous la pression d'un contexte donné, mais il n'est pas nécessaire qu'il survienne. Dans un tel contexte, 3 types d'événements imprévisibles sont possibles :**
> **1) l'irruption d'une nouvelle technologie ;**
> **2) une décision politique ou économique ;**
> **3) une cause naturelle.**

Un exemple intéressant pour illustrer les deux premiers types d'événements imprévisibles est celui de l'entrée en scène du sida au milieu des années 1980. La décennie 1970 a vu la libération des mœurs sexuelles amorcée au milieu des années 1960 avec l'arrivée de la pilule contraceptive. Cette pilule fait justement partie des technologies perturbatrices qui révèlent certaines tensions. En fait, le puritanisme des années 1950 portait en lui assez d'irritants pour générer des refus de la part de la génération montante. La *beat generation* de Jack Kerouac et de ses beatniks ainsi qu'Elvis se déhanchant lascivement ont fait en sorte que les gens accomplissaient des gestes d'ajustement et de désistement devant un système de valeurs prônant la pureté de la chair, le bon maintien en société et un rôle bien déterminé pour les femmes. À cette époque, les conventions sociales étaient réglées au quart de tour.

Quel a été le rôle de la pilule contraceptive dans toute cette démarche ? Elle a permis aux tensions portant l'étiquette « plus de liberté, moins de contraintes » de s'exprimer. Conséquemment, les femmes ont pris le contrôle de leur corps et leur place dans la société.

La pilule contraceptive a donc été un événement imprévisible, malgré les années de recherche, qui a bouleversé toute la donne sociale en ce qui concerne les femmes et les hommes. C'est aussi à cette époque que le féminisme a fait ses marques et a amené les hommes à modifier leurs comportements. Les femmes ont été libérées d'un joug séculaire par la simple irruption d'une technologie qui n'avait pas de correspondance directe et immédiate avec les problèmes qu'elles éprouvaient.

Tout au long des années 1970 et au début des années 1980, les mœurs sont devenues plus libérales. En 1985, un événement imprévisible, non pas issu d'une technologie cette fois-ci, a mis fin à cette ouverture sexuelle : le sida. La maladie a permis aux tensions portant l'étiquette « trop de liberté, pas assez de contraintes » de s'exprimer. L'histoire montre aussi qu'à partir du moment où le sida s'est manifesté, des valeurs plus conservatrices ont repris du terrain. Je vous pose maintenant une question : si le sida n'avait pas remis les pendules à l'heure aux yeux des membres plus à droite de la société, que serait-il advenu du très libéral système de valeurs en place ?

Un autre exemple intéressant est celui de la montée de la classe moyenne au milieu des années 1940 aux États-Unis. On pourrait légitimement penser que la classe moyenne s'est lentement constituée après le krach boursier de 1929, puisque des mesures avaient été mises en place pour contrer la pauvreté extrême et réguler les marchés financiers. En réalité, ce n'est pas ce qui s'est produit. En fait, trois événements imprévisibles, de nature politique, ont permis l'émergence de la classe moyenne : la guerre, la montée en puissance des syndicats et l'impôt.

Premièrement, en temps de guerre, vous n'avez pas le choix d'éliminer les sources de conflits dans les industries et d'assurer la paix sociale, autrement il sera difficile de combattre l'ennemi. Deuxièmement, pour vaincre l'ennemi, il faut protéger les droits des travailleurs, ce qui fut fait quand on autorisa les ouvriers à s'organiser en syndicats. En quelques années, le nombre de syndiqués a doublé aux États-Unis. Troisièmement, l'administration du président Harry Truman a « appauvri » l'élite économique et financière américaine en lui imposant un fardeau fiscal plus élevé. Conséquence ? Le gouvernement a disposé d'un moyen efficace pour mieux répartir la richesse. Sous l'effet combiné de ces trois événements imprévisibles, la classe moyenne s'est constituée et est devenue majoritaire. Pendant plus de 30 ans, il y a eu peu de riches et de pauvres. La classe moyenne a sauté à pieds joints dans le bal de la consommation, ce qui s'est traduit par le baby-boom.

L'année 1973 a sonné le glas de la classe moyenne, même si elle ne le savait pas encore. Un événement imprévisible d'importance a mis fin à la prospérité d'après-guerre : les pays membres de l'OPEP (Organisation des pays exportateurs de pétrole) ont fermé le robinet du pétrole en guise de représailles envers les pays qui « soutenaient Israël ». La récréation était terminée. Quelques mois après cet événement, lentement, insidieusement, la classe moyenne s'est effritée. Les bien nantis et les très riches ont repris du terrain. L'inégalité a refait surface, tout comme avant le krach de 1929.

En 1987, un autre événement imprévisible d'une ampleur considérable est tombé comme un couperet sur la tête de la classe moyenne : le krach boursier. Au contraire de bien d'autres événements imprévisibles, celui-ci se différencie singulièrement des précédents. Après un rapport de plus de 2 000 pages commandé par le Congrès américain sur les raisons de la crise, personne n'a été en mesure d'expliquer de façon précise l'effondrement des marchés boursiers[6]. Pour en rajouter, le président de la Réserve fédérale américaine de l'époque, Alan Greenspan, est venu dire qu'il n'avait strictement aucune idée de ce qui s'était passé ; selon lui, si le krach ne s'était pas produit à ce moment précis, il se serait inévitablement produit plus tard.

Cela prouve encore que nul ne peut prédire l'avenir, mais que nous savons que des événements imprévisibles ayant un impact négatif majeur sont susceptibles de se produire. Les conséquences du krach ont été une réduction des effectifs syndicaux, une montée en puissance des très riches, l'arrivée de la nouvelle caste des milliardaires de la haute technologie, un effritement continu de la classe moyenne et l'inquiétante augmentation du nombre de défavorisés.

Faisons le point

Les changements historiques sont la conséquence directe d'événements imprévisibles. La pilule contraceptive, le sida, la guerre, les krachs boursiers, etc., ont été des événements imprévisibles qui ont transformé en profondeur la société tout en mettant au premier plan certaines valeurs plutôt que d'autres. Ces valeurs mises de l'avant sont justement celles de tous ceux qui accomplissaient des gestes de désistement et d'ajustement envers les irritants d'une tendance en place, dont vous. À quoi tout cela nous a-t-il conduits ? À trois démissions personnelles qui ont un impact profond sur la redéfinition de nos frontières sociales. Je vous invite donc à les découvrir !

Partie 2
L'écologisme
À la recherche du combattant

Sauver la planète

Nous nous demandons parfois pourquoi les événements se produisent. Nous avons aussi parfois l'impression que les choses nous échappent ; l'histoire semble se dérouler sans que nous en soyons vraiment partie prenante, comme si nous étions de simples observateurs. Pourtant, nous contribuons tous, à notre façon, à forger l'histoire. Dans ce chapitre, je vous propose de soulever le capot de la voiture de l'histoire et d'observer le fonctionnement de son moteur. Pour ce faire, je prendrai l'exemple de l'écologisme.

Depuis 15 ans, un des discours les plus porteurs de l'écologisme est celui du combat contre le réchauffement climatique. C'est LE discours qui a réussi à fédérer tous les autres discours de l'écologisme, qu'il s'agisse de pollution, de gestion des déchets, de développement durable, de couche d'ozone, d'agriculture, etc. En ce qui me concerne, la question n'est pas tant de savoir si, oui ou non, il y a réchauffement climatique, ou de savoir si ce réchauffement climatique est causé par l'homme ou par des phénomènes naturels, mais de savoir si l'écologisme est régi par la même mécanique que toutes les autres tendances.

La courbe de la dindification

Depuis 40 ans, l'écologisme a rallié des millions de gens. Il est devenu un système de réponses qui explique tout, depuis la genèse d'un problème jusqu'à sa solution. Pour chaque geste, on vous fournit une réponse qui en explique la nature, son application et sa portée. Par exemple, lorsqu'on vous dit que vous déplacer en automobile augmente significativement votre empreinte de carbone, vous avez là une réponse à votre comportement. Vous n'avez pas besoin de comprendre pourquoi il en est ainsi, on vous le dit d'emblée. Il suffit juste d'appliquer les règles fournies par le système de réponses !

En somme, l'écologisme doit être considéré comme une tendance qui a réussi, c'est-à-dire qu'elle s'est transformée en un système de valeurs soutenu par un solide système de réponses au discours fort simple : « Tu ne dois pas… » Votre mission, si vous l'acceptez, c'est de réparer et de sauver la planète !

Cela étant dit, je vais vous démontrer comment nous en sommes collectivement arrivés à adhérer à plusieurs des valeurs proposées par l'écologisme, tout comme nous en sommes arrivés à adhérer aux valeurs de nombreuses autres tendances. Je vous propose de faire une tout autre lecture de l'histoire. Au lieu d'établir des liens de cause à effet, voyons plutôt l'évolution d'une tendance à travers les différents groupes qui se laissent euphoriser par les valeurs que propose une tendance. Observez bien la courbe que voici. Comme elle le fait pour n'importe quelle autre tendance, elle explique la formation et la montée en puissance de l'écologisme.

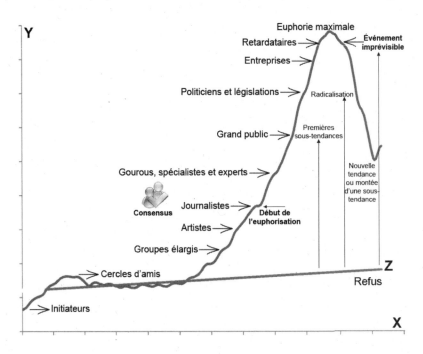

Remarquez la similarité entre cette courbe et celle d'une bulle spéculative financière : les deux relèvent de la même mécanique d'euphorisation. Par contre, il y a une différence majeure : au lieu des deux axes habituels, X et Y, on en retrouve un troisième, le Z.

⊙ **X :** la période pendant laquelle une tendance s'installe et euphorise les foules.

⊙ **Y :** le degré d'intensité d'euphorisation des foules.

⊙ **Z :** les refus qui s'accumulent et traversent horizontalement une tendance.

Pour que vous puissiez bien comprendre la portée de cette courbe de la dindification, je vais en expliquer chacune des étapes.

Les initiateurs, 1945-1960

Les catastrophes d'Hiroshima et de Nagasaki ont été un moment charnière. Si elles nous ont prouvé que nous avions la possibilité et la capacité de nous détruire, elles nous ont aussi fait prendre conscience que cette incroyable énergie, une fois domptée, pouvait ouvrir la voie à toute une série d'applications civiles potentiellement préjudiciables à l'environnement. L'environnement est donc devenu une cause pour laquelle il valait la peine de s'investir. Tout était à remettre en question. Triste constat… La conception de la bombe atomique a exigé une exceptionnelle réflexion scientifique sur la nature même de l'atome. N'eût été de ces recherches, la médecine nucléaire aurait-elle pu prendre son envol dès les années 1960 ? N'eût été de l'ampleur de l'impact de la bombe sur l'environnement, pensez-vous sincèrement que le discours écologiste aurait été le même ? La société Greenpeace aurait-elle été créée ? Rachel Carson aurait-elle publié, en 1962, le best-seller intitulé *Silent Spring* à propos du péril environnemental ? Sans ce livre, l'opinion américaine aurait-elle été sensibilisée aux problèmes environnementaux ? Le Congrès américain aurait-il adopté une politique nationale concernant le DDT ?

Nous sommes incapables de répondre par l'affirmative à toutes ces questions, non pas par manque d'informations, mais simplement parce qu'il nous est impossible d'être formels à propos du passé. N'oubliez pas que nous sommes directement tributaires des technologies que nous mettons au point. Si la bombe atomique n'avait pas été conçue, la notion même de guerre froide n'aurait peut-être jamais vu le jour. Est-ce que le développement de l'informatique aurait connu la même courbe ? Peut-être pas. Pourquoi ? Parce que le développement de la bombe a exigé des puissances de calcul dont on ne disposait pas à l'époque. Il a fallu mettre au point des calculateurs et s'investir dans une recherche aux limites de l'inconnu. Dites-vous que votre iPhone et votre iPad sont peut-être tributaires de la recherche qui a servi à concevoir la bombe atomique. Difficile à imaginer ? Normal, nous souffrons du biais de confirmation autant envers le futur que le passé. Les initiateurs de l'écologisme sont en grande partie redevables à la bombe atomique elle-même.

Les cercles d'amis et les initiés, 1960-1970

Dès 1964, le *Wilderness Act* des États-Unis déclare que la nature est un lieu où la terre et sa communauté de vie ne doivent pas être entravées par l'homme, car celui-ci n'est qu'un visiteur de passage. Nous sommes soudainement devenus malgré nous les gardiens de la planète, ni plus ni moins que les locataires des lieux. Ce nouveau rapport établi avec le milieu de vie de l'humanité n'est pas innocent. Il est une prescription. Quelqu'un, quelque part, nous aurait placés sur cette planète. Il nous en aurait rendus responsables et redevables. Difficile de faire mieux comme culpabilisation collective !

C'est dans cette foulée que seront fondés le World Wide Fund for Nature et Les Amis de la Terre, des organisations vouées à la sauvegarde de la Terre mère. Leurs membres sont les initiés, ceux qui ont compris l'urgence du problème, ceux qui ont réalisé LA prise de conscience environnementale. Et le cercle des convertis s'agrandit.

Les groupes élargis, 1970-1990

Le 22 avril 1970, 100 000 personnes participent à la première célébration du Jour de la Terre dans la 5e Avenue, à New York. Les manifestants exigent des lois pour protéger l'environnement. C'est un point charnière pour la mobilisation.

Les médias s'emparent littéralement du phénomène. Initiative conjointe du sénateur Gaylord Nelson, de l'État du Wisconsin, et de Denis Hayes, étudiant en droit de l'Université Harvard, cette manifestation conduit à la création de l'agence de protection de l'environnement des États-Unis (EPA) et à l'adoption de la loi Clean Air, Clean Water, and Endangered Species.

En 1971, des hippies fondent à Vancouver un mouvement antinucléaire, le Don't make a wave Committee[7]. Il deviendra quelques années plus tard Greenpeace. À la même époque, Stephen Gaskin, icône du mouvement hippie, regroupe 30 personnes dans le Tennessee pour fonder The Farm[8], une commune hippie dont le modèle servira par la suite d'assise à la notion d'écovillage[9]. Les Nations Unies créent le programme Man and Biosphere et tiennent la première conférence internationale sur l'environnement humain à Stockholm. L'écologue René Dubos, théoricien de l'écologie globale, lance le leitmotiv « Penser globalement, agir localement ».

L'écologisme est en pleine ascension. Son système de réponses est presque complété. Vivre en harmonie avec la nature et s'opposer à la société de consommation, voilà ce qu'il faut faire. Et vous commencez à y croire sérieusement ! ✺

Les journalistes, les gourous, les spécialistes et les experts, 1980-2010

L'année 1980 marque une étape majeure dans l'euphorisation de la tendance. Les médias se lancent dans une course sans fin aux reportages à propos de la couche d'ozone. Les journalistes transforment l'événement en spectacle de l'événement. Le cortège des gourous, des spécialistes, des experts et des experts autoproclamés sortis de nulle part en matière d'environnement, à l'image de ceux du Web 2.0 aujourd'hui, fait son apparition dans les médias.

C'est par les médias que nous construisons notre rapport au monde. Ce qui se passe partout sur la planète nous parvient grâce à une multitude d'intermédiaires. Journaux, télévision, radio, Internet, blogues et réseaux sociaux participent sans cesse à notre inextinguible soif d'informations. Aujourd'hui, avec la surmultiplication des canaux de diffusion et avec les formats médiatiques imposés, on ne simplifie plus l'information, on la rend simpliste. Ce qui est d'un tout autre registre.

Avant la création du Groupe d'experts intergouvernemental sur l'évolution du climat (GIEC), les problèmes environnementaux étaient abordés séparément. Pollution, déversements pétroliers, couche d'ozone, gestion des déchets, développement durable, etc., étaient traités par les médias pour ce qu'ils sont. Aujourd'hui, ils sont fédérés sous un seul et même grand discours : le réchauffement climatique. Les gaz à effet de serre, à eux seuls, ont réussi ce coup de force. Ils ont donné un visage aux problèmes environnementaux.

En 1997, les médias s'accrochent au protocole de Kyoto. En 2005, l'ouragan Katrina devient l'emblème du réchauffement climatique. C'est aussi l'époque du célèbre « *Take a kayak* » de Céline Dion à l'intention du président George W. Bush. Quel bonheur pour les médias ! La combinaison parfaite : un événement dévastateur, un président détesté et une chanteuse adulée. En 2006, l'ex-vice-président Al Gore sort un film-choc intitulé *Une vérité qui dérange*. Et il dérange tout le monde ! Coup de circuit !

Aujourd'hui, les journalistes et les experts ne sont plus les seuls à pouvoir diffuser leurs analyses et leurs opinions. Les blogueurs et les experts autoproclamés peuvent maintenant le faire sans même disposer d'une importante infrastructure de diffusion. Le consensus, dont il sera question au prochain chapitre, s'installe. L'immense répétitrice que sont les réseaux sociaux déploie toute sa capacité à diffuser l'information et à renforcer le message du réchauffement climatique dévastateur ! ET VOUS Y CROYEZ DE PLUS EN PLUS !

Le grand public, 1985-2010

De 1985 à 2010, le grand public intègre les rangs. La plupart des gens le feront par choix, d'autres le feront sous la contrainte, en se faisant imposer des lois et des réglementations auxquelles ils devront se soumettre. Pour les récalcitrants, la position est de plus en plus inconfortable. Les médias euphorisent jour après jour la tendance. Il n'y a pas un journal, une station de télé ou de radio qui n'a pas son journaliste maison expert en la matière. Vous ne pouvez plus vous en sortir. Les médias transpirent l'écologie. Les grands déversements de pétrole, les accidents nucléaires, les OGM, les dérèglements climatiques contribuent largement à alimenter la machine médiatique. Les nombreux ouragans de 2005 dans le sud des États-Unis font dire aux médias que le réchauffement climatique n'est plus une théorie, mais une réalité. Les porte-parole des lobbies environnementaux, considérés comme des spécialistes et des experts en matière de climat, colonisent l'espace gouvernemental. Les lois et les réglementations sur l'environnement fusent.

Rappelons-nous ces événements : l'explosion de l'usine de l'Union Carbide à Bhopal, en Inde, en 1984 ; l'explosion du réacteur nucléaire de Tchernobyl en 1987 ; la marée noire de l'*Exxon Valdez* sur les côtes de l'Alaska en 1989 ; le naufrage en 2010 de la station pétrolière Deepwater dans le golfe du Mexique ; l'accident à l'usine d'aluminium d'Ajka, en Hongrie, où 1,1 million de mètres cubes de boue rouge toxique ont été déversés sur plus de 40 km^2. Toutes ces catastrophes environnementales ont été traitées, au cours des 30 dernières années, en mettant l'accent sur 2 aspects : le spectaculaire et la cupidité des industriels. Rarement, très rarement, les journalistes ont fait intervenir le citoyen ordinaire dans ces catastrophes. Pourtant, nous sommes des consommateurs de pétrole compulsifs, tout comme nous sommes des consommateurs de tout et de rien, soit des produits fabriqués à l'aide de processus chimiques complexes, tout comme nous sommes d'impénitents consommateurs d'énergie. Les médias sont là pour vendre des copies, du temps d'antenne, de la publicité et, accessoirement, de l'analyse. On ne vous informe pas, on vous donne des informations. Ce qui est très différent. Comme le disait Mark Twain, « si vous ne voulez pas être informés, ne lisez pas les journaux. Si vous voulez être mal informés, lisez les journaux » !

Les politiciens et leurs législations, 1964-2010

Les tendances qui réussissent à euphoriser le grand public finissent toujours par entrer dans le champ de conscience des politiciens. On vote alors des politiques, des réglementations et des lois pour encadrer les comportements de la tendance. Voici quelques grands moments à souligner en matière d'écologie[10] :

Date	Localisation	Législations et protocoles
1964	États-Unis	Wilderness Act. Loi américaine sur la protection de la nature qui considère l'homme comme un visiteur de passage.
1970	États-Unis	Fondation de l'Environmental Protection Agency.
1971	Nations Unies	Convention de Ramsar sur la protection des zones humides.
1982	Europe	Première directive Seveso pour identifier et contrôler les sites à risque.
1987	Canada	Protocole de Montréal pour éliminer les substances qui appauvrissent la couche d'ozone.
1989	Suisse	Convention de Bâle sur le transport de déchets dangereux et de leur élimination. L'objectif est de réduire la circulation des déchets dangereux entre les pays, en particulier vers les pays en développement.
1997	Kyoto	Signature du protocole de Kyoto visant la réduction des gaz à effet de serre.
2000	Nations Unies	Protocole de Carthagène sur la prévention des risques biotechnologiques.
2009	Copenhague	Sommet de Copenhague visant à renégocier un accord international sur le climat pour remplacer le protocole de Kyoto.

Ces moments sont des étapes charnières dans le renforcement de l'euphorisation d'une tendance. On part du principe que les consommateurs et les producteurs sont plutôt indifférents par rapport à la protection de l'environnement. L'État prend alors les choses en main. Le processus législatif n'a qu'un but : faire prendre conscience aux gens, à l'aide des réglementations, des taxes environnementales, etc., qu'ils ont une responsabilité environnementale.

Autre point important à considérer : dès que les politiciens votent des lois et des règlements pour encadrer les pratiques véhiculées par une tendance, celle-ci devient officiellement un système de valeurs. Ce passage à la légitimité permet aux gens de vivre en conformité avec les valeurs proposées. Conséquemment, tous ceux qui se braquent contre celles-ci sont perçus comme des individus qui ne veulent pas participer à la cohésion sociale. Ils se marginalisent, et leurs protestations tombent dans l'oubli.

Les entreprises, 2000-2010

Nous sommes maintenant presque rendus au sommet de la courbe de la dindification et sur le point d'avoir une société presque totalement euphorisée par les valeurs proposées. L'entrée en scène des entreprises est cruciale. Elle va sceller le sort du système de valeurs. Or, dans tout système de valeurs, il y a des irritants. Par exemple, le fait que l'écologiste convaincu veille à consommer le moins d'énergie possible, à consommer le moins possible de biens matériels, à ne consommer que des aliments cultivés dans un rayon de 160 kilomètres de chez lui, à recycler, à composter, etc., tous ces comportements le différencient. Cet individu met en pratique ce que prône le système de valeurs. Quant au dirigeant d'entreprise, ses intentions doivent être de même calibre que celles de l'écologiste convaincu. Il doit montrer patte blanche et faire de son organisation une entreprise citoyenne responsable.

Pour une entreprise, s'investir dans une tendance devenue système de valeurs est un passage obligé. Un des cas les plus intéressants de conversion verte est celui de la société Toyota et de son automobile phare, la Prius. D'un point de vue marketing, cette voiture est une réussite totale. Elle a réussi à positionner Toyota comme un constructeur vert grâce à la publicisation de sa faible consommation d'essence. L'entreprise est donc systématiquement en phase avec le discours fédérateur du réchauffement climatique. ET VOUS Y CROYEZ ! Ce que Toyota ne vous dit pas, pas plus que tous les autres constructeurs qui proposent des automobiles vertes, c'est que construire un tel véhicule n'est pas du tout écologique. La voiture vraiment verte est celle qui n'a jamais été fabriquée ou celle qui ne roule pas !

Lorsque les entreprises s'investissent dans une tendance, c'est le signe que celle-ci approche de son apogée. Il ne manque plus alors que les retardataires pour compléter la courbe de la tendance.

Les premières sous-tendances et la radicalisation

Ce qui est un irritant pour vous dans un système de valeurs est parfois un stimulant pour celui qui adhère à ce même système. Cette attitude a un effet tout particulier : celui de faire émerger des sous-tendances plus radicales. Avez-vous déjà constaté que, lorsqu'une personne adhère à certaines valeurs, et *a fortiori* si ces valeurs ne sont partagées que par un nombre restreint de gens, elle en tire non seulement une certaine fierté, mais aussi un fort sentiment d'appartenance qui la distingue ? La montée de l'altermondialisme, de l'anarchisme vert, de l'écofascisme et de l'écologie profonde en sont des manifestations concrètes.

Les retardataires, 2008-2010

Peu importe les tendances, il y aura toujours des gens qui se feront tirer l'oreille pour adhérer à un système de valeurs. Par contre, à ce stade d'euphorisation de la tendance, être un retardataire n'est même plus une excuse pour les raisons que voici :

1. Les législations vous obligent à vous comporter comme si vous adhériez au système de valeurs en place. Les sacs réutilisables en sont un bon exemple. Comme vous devez maintenant payer les sacs de plastique, vous optez pour les sacs réutilisables. Ce faisant, vous vous comportez comme tous les autres citoyens qui adhèrent au système de valeurs.

2. Les entreprises vous offrent des produits et services en lien direct avec le système de valeurs en place. Dans le monde de la finance, les fonds d'actions équitables représentent cette pureté virginale à laquelle vous convie l'écologisme. Quelle antinomie !

Les journalistes, gourous, spécialistes, experts et experts autoproclamés ne passent pas une seule journée sans vous parler des multiples bienfaits des valeurs proposées. Qu'il s'agisse d'écologisme, de néolibéralisme, d'économie, de mondialisation ou d'alimentation, peu importe, chacun a le discours approprié pour vous convaincre de la chose. Ce sont les maîtres du prêt-à-penser.

Les réfractaires et le refus

Qui sont les réfractaires ? Ce sont, tout comme moi, de détestables individus. Ce sont des empêcheurs de tourner en rond. Ils refusent d'adhérer au système de valeurs proposé. Les réfractaires ont un regard critique sur tout ce qui les entoure. Ils refusent le consensus, se laissent rarement emporter par l'euphorie et se disent que, si tout le monde le dit et que si tout le monde le fait, il doit y avoir anguille sous roche.

Je vous renvoie à la notion de refus, l'axe Z de la courbe de la dindification. Un des phénomènes intéressants avec le refus, c'est que plus il y a de gens qui adhèrent à un système de valeurs, plus il y a de gens qui refusent de se plier aux irritants de celui-ci. Alors, lorsqu'un événement imprévisible se produit, tout comme nous l'avons vu avec l'arrivée de la pilule contraceptive, ce sont ces refus qui forment l'assise pour l'émergence d'une nouvelle tendance.

L'effritement d'un système de valeurs

Plusieurs événements imprévisibles peuvent concourir à effriter un système de valeurs en place pour faire émerger une nouvelle tendance. Par exemple, sous l'effet combiné de l'impôt, de la guerre et de la montée en puissance des syndicats, la classe moyenne a vu le jour dans les années 1950 aux États-Unis.

En ce qui concerne l'écologisme, j'ai cru, pendant quelques mois, que le Climategate[11], révélant des échanges entre scientifiques cherchant à camoufler certaines informations, sonnait le début de l'effritement de l'écologisme, mais je m'étais trompé. Cet événement imprévisible me semblait pourtant répondre aux critères d'un événement imprévisible. L'événement imprévisible peut survenir sous la pression d'un contexte donné, mais il n'est pas nécessaire qu'il survienne. Dans un tel contexte, trois types d'événements imprévisibles sont possibles : 1) l'irruption d'une nouvelle technologie ; 2) une décision politique ou économique ; 3) une cause naturelle.

Dans le cas qui nous intéresse, ce coulage d'information est survenu sous la pression d'un contexte donné, soit celui du Sommet de Copenhague. Donc, il répond au premier critère d'un événement imprévisible. Le problème, c'est qu'il ne répond pas à l'autre critère : il n'est ni une technologie perturbatrice ni le fruit d'une décision politique ou économique. En effet, même si certains politiciens britanniques se sont mêlés de la chose, toutes les démarches entreprises n'ont conduit à aucune décision politique ou économique. Pour que cet événement imprévisible ait pu avoir un impact majeur, à savoir l'effritement de l'écologisme, il aurait fallu qu'une décision politique ou économique soit prise, ce qui n'a pas été le cas.

> **Pour qu'un événement imprévisible provoque l'effritement d'une tendance, il doit impérativement répondre au premier critère, à savoir : 1) n'être pas le fruit du hasard, mais celui de la contingence sous la pression d'un contexte donné ; et à l'un ou l'autre des seconds critères suivants, 2) être l'irruption d'une technologie perturbatrice, ou d'une décision de nature politique ou économique, 3) être la manifestation d'une cause naturelle.**

Cette précision, extrêmement importante sur le plan théorique, nous empêche de voir partout des événements imprévisibles qui seraient susceptibles de mener à l'effondrement d'un système de valeurs, ce qui empêche par le fait même tous ceux qui seraient intéressés à jouer les devins de dire n'importe quoi. N'oubliez pas qu'il est impossible de dire quoi que ce soit à propos du futur. La seule chose que vous permet de dire la définition d'un événement imprévisible, c'est qu'il y a possibilité qu'un événement imprévisible survienne lorsque deux des trois conditions sont réunies.

Faisons le point

La courbe de dindification d'une tendance suit une ascension bien précise. Voici comment l'interpréter simplement :

1. Si les valeurs proposées par une tendance ne franchissent pas le cercle des initiateurs, des cercles d'amis et des groupes élargis, la tendance aura peu de chances de se transformer en système de valeurs.

2. Si les journalistes, les gourous, les spécialistes, les experts et les experts auto-proclamés considèrent que les valeurs proposées valent la peine d'être diffusées, toute la machine médiatique sera mise à contribution pour faire passer le message. **Le passage de l'état de tendance à celui de système de valeurs est alors amorcé.**

3. Lorsque de larges portions du grand public adoptent les valeurs proposées par la tendance, les premières sous-tendances radicales apparaissent, et les politiciens se voient dans l'obligation d'en légiférer certains aspects. **Le passage au système de valeurs est alors complété.**

4. Lorsque les entreprises et les retardataires adhèrent aux valeurs proposées par dépit, ou par obligation, ou volontairement, l'euphorisation est à son maximum. Le système de valeurs est devenu puissant et mobilisateur.

5. Lorsqu'un événement imprévisible se manifeste, le système de valeurs en place commence à s'effriter, mais personne ne peut prédire comment il s'effritera, ni s'il y aura d'autres événements imprévisibles, ni quels refus seront privilégiés pour faire émerger une nouvelle tendance.

Je n'ai pas choisi l'écologisme comme exemple pour rien. D'ailleurs, vous savez à quelle enseigne je loge en ce qui concerne les systèmes qui fournissent d'emblée des réponses. Si j'ai fait ce choix, c'est qu'il est représentatif de notre démission personnelle devant tous les prêts-à-porter qui nous sont proposés. Et démissionner est d'autant plus facile lorsqu'il y a consensus. Je vous invite maintenant à examiner comment s'exécute la mécanique du consensus qui nous conduit droit vers la dindification sans que nous en soyons conscients.

Chapitre 4

Dans la gueule du consensus

Dans un article du *Newsweek* paru le 28 avril 1975, Peter Gwynne déclarait : « Les scientifiques sont unanimes sur le fait que nous sommes confrontés à un refroidissement climatique. » Pourtant, depuis le début des années 1990, on nous prêche tout à fait le contraire : tous les scientifiques sont d'accord pour dire que la planète se réchauffe, qu'elle court à la catastrophe, que des espèces sont menacées, que les côtes seront inondées, que les événements climatiques extrêmes seront plus fréquents et plus dévastateurs, etc. Au fait, qui sont tous ces scientifiques qui prétendent que la planète court à la catastrophe ? Concrètement, ce sont ceux à qui les médias font porter le chapeau de scientifique. Il suffit que quelques-uns d'entre eux avancent une théorie qui fera tourner les presses pour que les médias croient que « tous les scientifiques » pensent de la même façon ! Et c'est justement là où les choses deviennent intéressantes. Nous sommes au cœur d'un processus extrêmement puissant.

Si vous vous reportez à la courbe de la dindification, vous constaterez que le consensus arrive au début du deuxième tiers de celle-ci. Dès que les journalistes commencent à rapporter en quoi consiste les valeurs de la tendance montante, le processus qui conduit directement au consensus est enclenché. Ce faisant, les gourous, les spécialistes et les experts investissent le terrain et tiennent un discours qui se résume à cette phrase type : « Tout le monde s'entend pour dire que... » Le consensus est essentiel à l'euphorisation collective. Sans consensus, une tendance ne deviendra jamais un système de valeurs.

Premièrement, un consensus ne doit pas être perçu comme un consentement unanime, mais bel et bien comme une absence d'opposition, ce qui est très différent. Deuxièmement, pour qu'il y ait consensus, il faut que celui-ci soit fondé sur des preuves solides. Par contre, un consensus *n'est pas* la preuve, même si les gens tendent parfois à confondre l'un avec l'autre.

Lorsqu'une théorie ou un modèle scientifique est bien établi, personne ne parle de consensus scientifique. Pourquoi ? Parce que, en science, on part du principe que toute théorie est réfutable. Il n'y a donc pas consensus, mais on s'entend sur le modèle jusqu'à ce qu'il soit amélioré ou réfuté. Par exemple, avez-vous déjà entendu parler d'un consensus à propos du fait que le cœur pompe le sang, que l'eau est une molécule composée d'oxygène et d'hydrogène, que les corps célestes orbitent les uns autour des autres, que la gravité nous colle au sol, que le soleil brille constamment ? En fait, dès que vous entendez le mot consensus, vous pouvez en déduire qu'un processus d'euphorisation est en cours.

En 1992, Al Gore, alors vice-président des États-Unis, déclarait : « Seule une infime fraction de scientifiques s'oppose à la thèse du réchauffement planétaire. Le temps pour les débats est terminé. La science a rendu son verdict. » Pourtant, à la même époque, la maison de sondage Gallup rapportait les faits suivants :

◉ 53 % des scientifiques activement impliqués dans la recherche sur le réchauffement climatique ne pensaient pas qu'un réchauffement était en train de se produire ;

◉ 30 % des scientifiques n'étaient pas du tout convaincus ;

◉ 17 % des scientifiques croyaient que le phénomène était en train de se produire.

Étant donné que le vice-président Al Gore ne disposait ni de preuves solides ni d'arguments béton, il lui restait alors le consensus, et c'est sur la mécanique propre au consensus qu'il a fondé toute sa rhétorique. Le consensus, puissant vecteur d'euphorisation d'une tendance, rend crédule.

> **Si vous disposez d'une preuve solide, vous argumentez sur la preuve. Lorsque vous avez de solides arguments, vous êtes en mesure d'argumenter. Lorsque vous n'avez ni preuve solide ni argument solide, vous faites appel au consensus. Le consensus est un des plus puissants vecteurs de dindification.**

L'idée même du consensus devrait faire sonner dans votre esprit une petite sonnette d'alarme pour éviter de vous comporter comme une dinde. Le consensus est le biais de confirmation porté à son paroxysme. Lorsque vous êtes dans un consensus, vous n'êtes pas dans une condition idéale pour chercher des thèses qui contrediraient le consensus. Vous cherchez essentiellement à conforter vos hypothèses. Pire encore, le consensus peut mener au fanatisme et à l'intégrisme des positions. Par exemple, si vous exposez publiquement un point de vue différent du consensus établi, comme dire qu'il n'y a pas de réchauffement climatique, vous devenez l'hérétique à brûler sur le bûcher public.

L'urgence d'agir

Le consensus se veut avant tout une action, et cette action, dans notre société moderne où tout fonctionne à la vitesse grand V, se transmue en urgence d'agir. Par exemple, dire que l'avenir de l'humanité est en jeu n'est pas innocent. La seule issue possible devient alors la mobilisation et la nécessité d'agir.

Avez-vous remarqué que, de plus en plus, on utilise l'urgence d'agir dans toutes sortes de situations ? Dans sa dynamique, l'urgence devient un drame où tout se mêle, et on ne sait plus du tout quoi faire pour éviter le pire. Dans l'urgence d'agir, il y a deux dimensions :

1. L'obligation de résultat sans tarder ;
2. L'annulation du facteur temps.

Ces deux dimensions se renforcent mutuellement et créent une immédiateté de l'action qui a pour objectif de contenir ou d'annuler le problème en cause. En ce sens, tout le discours sur le réchauffement climatique cherche à contenir ·ou à résoudre ce problème par le combat.

Dans l'urgence d'agir, plus rien n'est valable : seule compte l'immédiateté de la solution. Trois effets particuliers découlent de cette normalisation de l'urgence :

– On ne prend pas le temps requis pour évaluer toutes les possibilités et toutes les facettes du problème.

– On met en place des procédures radicales qui vont au plus court, histoire de ne pas entraver la nécessité d'agir.

– Les solutions proposées commandent systématiquement la nécessité d'agir. Elles n'offrent pas de moyens pour prendre du recul et prendre le temps de réfléchir.

Dès qu'on entre dans l'urgence d'agir, on atteint un degré d'euphorisation extrêmement élevé. Le temps pour réfléchir et envisager des possibilités qui vont à l'encontre du consensus n'est plus du tout de mise, car il faut agir. Agir devient la priorité qui surclasse toutes les autres. Dans l'urgence d'agir, les solutions sont directement commandées par la nature perçue du problème et non par la nature réelle du problème. Si la planète court à la catastrophe à cause du réchauffement climatique, il faut agir en conséquence, et tout le monde doit être mobilisé dans ce but.

La conscription

La dynamique qui sous-tend le réchauffement climatique, c'est le verbe « combattre ». Depuis le protocole de Kyoto et les différents rapports du Groupe d'experts intergouvernemental sur l'évolution du climat (GIEC), il est devenu impérieux de combattre le réchauffement climatique en prenant des mesures de contention sur tout ce qui peut produire des gaz à effet de serre, comme le CO_2 et le méthane.

Le discours du combat est devenu la condition *sine qua non* pour sauver la planète. Nous sommes tous invités à une véritable conscription, à devenir les combattants du réchauffement climatique. Et ici, l'emploi du mot « conscription » est voulu de ma part. Si vous écoutez tout ce qui se dit dans les médias, vous constaterez qu'on demande à chacun de faire sa part en utilisant de plus en plus les transports en commun, tout en consommant de moins en moins et en le faisant de façon responsable. La conscription a un devoir d'obligation ; elle n'est pas volontaire. Être un conscrit, c'est parfois combattre contre son gré un ennemi.

Bien qu'on vous dise que chacun a le loisir de faire ce qu'il veut bien pour combattre l'ennemi numéro un qu'est le réchauffement climatique, il n'en reste pas moins que plusieurs refusent d'être des conscrits. Qu'à cela ne tienne ! Les puissants lobbies de l'environnement les obligeront à rentrer dans le rang. De nouveaux règlements et lois seront votés afin que chaque membre de la société soit un conscrit pour ce combat ultime. On élimine les sacs de plastique à l'épicerie, on vous fournit des bacs de recyclage, on vous interdit d'avoir un broyeur dans votre évier et d'appliquer des pesticides sur votre pelouse, on vous aménage des pistes cyclables, on chasse les automobiles du centre-ville, on surtaxe les produits suremballés et les véhicules énergivores et ainsi de suite… Le temps n'est plus aux tergiversations, il est à l'action.

Dans cette surenchère d'actions concrètes, vous êtes conscrit, que vous le vouliez ou non. Il n'est pratiquement plus possible d'être un déserteur, à moins que vous ne refusiez d'utiliser votre bac de recyclage, que vous vous achetiez un 4 x 4, mais pas de chance, ils sont en passe de tous devenir hybrides ! En fait, vous êtes devenu malgré vous un combattant du réchauffement climatique.

Dans la foulée du Sommet de Copenhague sur les changements climatiques, selon un sondage réalisé par l'Institut français d'opinion publique et commandé par le journal *Le Monde*, 88 % des Français, 87 % des Polonais, 85 % des Italiens, 81 % des Japonais et 80 % des Américains interrogés se sont dits prêts à modifier leur mode de vie et à limiter leur consommation en faveur de l'environnement. Pas banale, cette affirmation démontre que de larges parts de la population sont prêtes à se soumettre à la conscription pour combattre le réchauffement climatique. Même s'il faut pondérer ces chiffres, il n'en reste pas moins qu'ils sont impressionnants. Et s'il y a conscription, c'est parce qu'il y a consensus.

La mécanique du consensus

Vous reconnaissez que le processus du consensus est amorcé dès que vous êtes en présence des **9 phénomènes suivants.**

Phénomène n° 1

Des arguments sont associés pour former un discours « cohérent ».

Lisez attentivement les mots répertoriés dans chacune des catégories du tableau suivant. Je ne les ai pas tous recensés, mais tentez tout de même de leur trouver un dénominateur commun.

Réchauffement	Pollution	Alimentation	Développement
Gaz à effet de serre	Eau	OGM	Durable
Fonte des glaciers	Air	Végétarisme	Mondialisation
Montée des eaux	Sol	Biologique	Extinction des espèces
Inondations	Déversements		Commerce équitable
Ouragans	Déchets		
Sécheresse	Produits toxiques		

En amalgamant tous ces mots, vous arrivez à créer un discours qui n'est pas seulement cohérent et concordant, mais un système de valeurs et un système de réponses : celui de l'écologisme. Je vous propose de faire un exercice. Dans un seul et même paragraphe, construisez quelques phrases dans lesquelles vous inclurez tous ces mots. Ce faisant, vous obtiendrez l'essentiel du discours prôné par l'écologisme, c'est-à-dire, un consensus. Allez ! Essayez-le ! Vous serez surpris du résultat. J'ai mené l'expérience avec quelques amis et je vous avoue que c'est amusant. Tous ont produit un texte révélant le consensus à propos de l'environnement.

Phénomène n° 2

Les attaques envers les dissidents de la tendance prédominent.

Nous sommes ainsi faits qu'il est plus facile d'insulter l'autre que d'argumenter avec lui. Lorsque nous utilisons cette forme de défense, aussi appelée attaque *ad hominem,* nous tentons de confondre notre adversaire en lui opposant ses propres paroles ou actes. L'idée est de le discréditer. Souvent, la première expression qui vient à la bouche d'une personne qui adhère à la thèse du réchauffement climatique à l'intention d'un dissident est : « Vous êtes un sceptique. » En faisant cette affirmation d'entrée de jeu, elle étiquette son interlocuteur et le discrédite dès le départ. Sans aucune argumentation, elle fait en sorte que, peu importe ce que dira l'autre, tout sera sujet à caution.

Phénomène n° 3

Les opinions divergentes sont exclues du débat, non pas à cause de leur validité, mais pour marginaliser leur influence.

En science, un des principes de base pour valider une information est la revue par les pairs. En journalisme, on tente plutôt de valider les informations par des sources fiables. Parfois, cet aspect de la vérification et de la validation est négligé, si bien que ceux qui ont des opinions opposées ne peuvent s'exprimer dans le cadre du débat proposé.

Phénomène n° 4

Le consensus est déclaré très tôt, parfois avant même qu'il existe.

En 1992, le vice-président Al Gore a déclaré ceci : « Seule une infime fraction de scientifiques s'oppose à la thèse du réchauffement planétaire. Le temps pour les débats est terminé. La science a rendu son verdict. » Il a ainsi promulgué un consensus avant même qu'il existe. Faute d'arguments et de preuves solides, la porte de sortie est alors le consensus.

Phénomène n° 5

Le sujet traité semble résister au consensus.

Cette affirmation peut sembler contradictoire, mais elle ne l'est pas du tout. Prenons par exemple le Big Bang : on ne dit pas qu'il y a consensus chez les scientifiques, on dit plutôt qu'il s'agit d'une théorie généralement admise. Ce qui implique qu'elle fait l'objet d'investigation pour en démontrer ou non la pleine validité.

Pour qu'il y ait consensus, il faut qu'il y ait opposition au consensus, résistance. Il est complètement normal, s'il existe un consensus du réchauffement climatique, que des climat-sceptiques s'y opposent. À l'inverse, personne ne remet en cause l'idée que la terre tourne autour du soleil. Cette idée n'est pas un consensus mais un fait vérifiable et en accord avec la réalité. Personne ne s'oppose à l'idée. Il n'y a donc pas ici consensus.

En science, pour qu'on admette une idée ou une théorie, un complexe processus de vérification doit être engagé. Il s'agit non seulement ici de la vérification par les pairs, mais aussi de la reproductibilité des phénomènes. Si on vous dit que tel phénomène se produit lorsque vous faites ceci ou cela, vous devez pouvoir le reproduire dans les mêmes conditions et obtenir les mêmes résultats. Par exemple, en matière de recherche, vous ne pouvez pas reproduire grandeur nature le climat du passé. Vous avez donc besoin de mesures indirectes ou de modèles informatiques, ce qui, déjà, doit semer un sérieux doute dans votre esprit. S'il est difficile de s'entendre sur un protocole de vérification et d'expérimentation du sujet traité, vous devez, une fois de plus, être dubitatif.

Phénomène n° 6

Lorsque le message qui circule est « tous les spécialistes s'entendent pour dire que... », il y a consensus.

La science ne fonctionne pas par consensus. Il suffit qu'un chercheur ou qu'un groupe de chercheurs fassent une découverte vérifiable et reproductible en concordance avec le monde réel pour cesser toute discussion. Ainsi, $E=mc^2$, la vitesse de la lumière est de 299 792 458 mètres à la seconde, etc. Bref, la science brise les consensus. Elle ne les crée pas.

La science n'est pas un système de valeurs, mais plutôt un système pour poser des questions et chercher des réponses, et si on trouve une réponse, elle sera sujette à caution tant et aussi longtemps qu'elle ne sera pas indubitablement validée ; encore là, rien ne garantit que cette même réponse perdurera. Si vous entendez que les scientifiques sont d'accord pour dire que le réchauffement climatique conduira à l'extinction de plusieurs espèces, que les villes côtières seront inondées, que l'humanité n'en a que pour 10 ans à vivre, demandez-vous de quels scientifiques il s'agit exactement.

Phénomène n° 7

Les arguments du consensus servent à justifier des solutions économiques ou des politiques draconiennes.

Dès que les dirigeants politiques de plusieurs pays se réunissent pour discuter des grands enjeux, vous pouvez avoir la certitude qu'il y a un consensus. Le protocole de Kyoto est le fruit de ce genre de consensus, car il a été voté et adopté à partir de l'affirmation qui veut que « tous les scientifiques s'entendent pour dire que... ».

Phénomène n° 8

Le consensus est maintenu par une meute de journalistes.

Lorsque les journalistes, sans distance critique et avec zèle, se font les courroies de transmission du consensus, vous êtes en pleine période d'euphorisation.

Phénomène n° 9

Toutes les tribunes médiatiques, les blogues, les réseaux sociaux et votre entourage clament qu'il y a un consensus.

Ai-je besoin d'en dire plus à ce propos ? Oui ! Pour le plaisir de la chose, tentez de faire le tour de tous les blogues qui parlent d'environnement et d'écologie ; vous aurez vite compris qu'il y a consensus. Est-ce que votre belle-sœur vous dit qu'il faut recycler ? Est-elle devenue végétarienne pour éviter que le bétail émette des gaz à effet de serre par ses flatulences ? Si oui, vous pouvez avoir la certitude que vous êtes en plein dans un consensus.

Le consensus est le mécanisme par lequel une tendance euphorise.

Faisons le point

Vous souvenez-vous de ma question, au début de ce chapitre : « Qui sont tous ces scientifiques qui prétendent que la planète court à la catastrophe ? » Je vous le donne en mille : les membres du GIEC, qui ont pour mission de synthétiser les travaux menés dans les laboratoires du monde entier. Il n'y a pas ici de scientifiques, mais une synthèse publiée dans des rapports. On crée donc un consensus à partir d'un ensemble de travaux disparates. Conséquemment, peu importe le consensus, vous devez toujours vous demander qui est derrière. Le seul fait d'entreprendre cette démarche peut éventuellement vous éviter une dindification importante.

Le consensus est un élément essentiel pour que la population adhère aux valeurs proposées par une tendance montante. Dès que la mécanique du consensus se met en branle, un phénomène important se produit chez les gens : ils deviennent crédules. Le consensus faisant appel au discours d'autorité, nous tenons pour acquises les formules proposées et mettons de côté toutes formes de distance critique. Un consensus, quel qu'il soit, nous impose un devoir : adhérer aux valeurs proposées. Et si, en réalité, notre devoir n'était pas du tout cette adhésion ? Si le consensus nous conviait plutôt à une démission personnelle, à l'abandon de notre jugement ?

Chapitre 5

Première démission personnelle

U n beau week-end d'automne, alors que je me promenais dans un boisé près de chez moi, j'ai rencontré un groupe de jeunes qui s'affairaient à nettoyer les berges de la rivière. Quatre adultes, chacun vêtu d'un dossard vert, répartissaient le travail entre tous les membres de cette petite garnison antipollution. Armés de sacs-poubelles écologiques, de râteaux et de pelles tout aussi écologiques, ils ramassaient tout ce que d'irresponsables citoyens avaient jeté dans l'environnement.

J'entendais leurs enseignants leur lancer des « Ceci est l'exemple de ce qu'il ne faut pas faire », « La surconsommation conduit à la dégradation de l'environnement », « Il est important d'être écoresponsable », « Nous avons tous le devoir de protéger l'environnement », etc. À un moment donné, une jeune fille ramasse une petite boîte provenant d'un *fast-food* et s'écrie : « Big Mac ! Big Mac ! » L'adulte le plus proche en profite alors pour dire que les Big Mac sont non seulement mauvais pour la santé, mais que toute l'industrie de la restauration rapide est aussi responsable de la déforestation et, par ricochet, du réchauffement climatique étant donné la nécessité d'élever du bétail. « N'oubliez jamais qu'il faut agir localement et penser globalement, lance un autre enseignant. Chaque petit geste que nous faisons aujourd'hui a un impact sur notre environnement et notre avenir. » Et les jeunes de se remettre à chanter tout en continuant à nettoyer.

Que les berges de la rivière soient nettoyées, soit. Que les citoyens deviennent plus responsables dans leurs comportements, soit. Que les enfants et les adolescents fassent les frais d'un endoctrinement fondé sur un système de valeurs, NON !

Lorsque j'entends un enfant de huit ans dire qu'il faut protéger la planète parce que l'humanité court à sa perte, je suis estomaqué. Lorsque j'avais 10 ans, en 1965, je connaissais le catéchisme par cœur. On m'avait endoctriné. Je croyais à presque tous les préceptes de la religion. Je n'avais aucune raison de les remettre en cause. Eh bien, il en va de même avec l'écologisme. On ne fournit pas aux gens les outils pour comprendre les enjeux reliés à l'environnement, on leur donne plutôt des réponses. Dernièrement, j'ai discuté d'environnement avec des amis de mon fils. Tous pouvaient me réciter quelques clichés et idées reçues – comme « il est grand temps d'agir » –, mais aucun n'a été en mesure de me dire pourquoi il pensait de cette façon. Désolant…

L'écoculpabilité

Selon moi, les sociétés occidentales sont devenues des sociétés de concierges vouées à l'hygiène planétaire. L'écologisme vous invite personnellement à devenir un concierge : vous devez réparer ce qui ne va pas dans l'environnement, vous devez entretenir les lieux, faire le ménage et vous assurer que ceux qui habitent les lieux respectent les règles édictées par ceux qui détiennent le savoir à propos de l'environnement.

Concrètement, vous avez mis sur pied un programme de recyclage au bureau. À votre club sportif, vous avez fait virer les machines distributrices au profit d'un comptoir de fruits. Vous vous êtes impliqué dans votre conseil d'arrondissement. Vous allez chercher du lait à l'épicerie en faisant une petite balade de santé. Vous mangez bio et vous consommez équitable. Vous avez fait installer des thermostats programmables pour réduire votre consommation énergétique. Vous avez convaincu vos deux voisins des bienfaits d'une alimentation végétarienne. En somme, vous avez assaini votre environnement et réussi à convertir quelques adeptes à la foi verte.

Lorsque je fais la synthèse de tous ces comportements, il me semble que l'écologisme est devenu une morale de l'obsession du nettoyage. Malheureusement, avec une morale vient toujours un petit côté culpabilisant, autrement ce ne serait pas une morale! Connaissez-vous l'écoculpabilité? Elle mesure à quel point vous pouvez être déviant par rapport à votre devoir de concierge envers l'environnement. Efficace comme pas une, l'empreinte de carbone, soit la quantité de carbone émise par une activité ou une organisation, vous permet de savoir de façon assez précise à quel point vous devez vous sentir coupable. Elle compile tous les gestes que vous exécutez qui sont susceptibles d'émettre des gaz à effet de serre. Par exemple, Greenpeace a établi que votre limite annuelle devrait être de 500 kg[12] de CO_2 pour ramener la planète à son supposé équilibre d'ici 2050. Utiliser son automobile, se chauffer, s'éclairer, faire fonctionner ses appareils électroménagers, toutes ces activités participent aux rejets de CO_2 dans l'atmosphère. Même si l'énergie hydroélectrique est celle qui émet le moins de CO_2, la construction même de ces immenses complexes a été à l'origine de la production de millions de tonnes de CO_2.

Susciter en vous un sentiment d'écoculpabilité est un passage obligé pour vous amener à modifier vos habitudes de consommation. La culpabilité est un puissant incitatif. Souvenez-vous des moments où, dans votre existence, vous vous êtes senti coupable. Qu'avez-vous fait? Vous avez pris les dispositions nécessaires pour vous amender et vous avez adapté votre comportement pour que ce genre de situation ne se reproduise plus. Et c'est là où il y a une démission personnelle. Vous démissionnez quand vous n'exercez pas votre jugement et que vous tenez plutôt pour acquis tous ces discours selon lesquels la planète se dirige tout droit vers une catastrophe. Vous vous sentez coupable. Chaque fois que vous tirez la chasse d'eau, vous avez un pincement au cœur en voyant toute cette eau potable évacuée. Pourquoi démissionnez-vous?

Le prêt-à-penser

Je tiens à être clair. Les graves problèmes environnementaux exigent toute notre attention. De plus, je ne nie pas qu'il y ait réchauffement climatique, bien que je me paie régulièrement la tête des Témoins du réchauffement. Ceux qui croient au réchauffement climatique et ceux qui n'y croient pas sont à mettre sur un pied d'égalité. Ils nous démontrent tout simplement qu'il faut croire en un système de valeurs. Or, les problèmes environnementaux ne relèvent pas du tout d'une question de croyance, bien au contraire. Ils relèvent d'une analyse rationnelle. Il serait donc urgent de retirer des mains des écologistes les questions d'environnement. Ils n'ont pas la distance critique pour juger de l'état réel des choses. Dans le même sens, ceux qui s'opposent aux écologistes ne sont pas non plus dans une position pour juger de l'état des choses. Chaque camp s'oppose à l'autre sans réfléchir à la chose en soi. Il n'y a donc pas d'analyse.

Si vous trouvez que mes affirmations sont à l'emporte-pièce, interrogez-vous sur l'objet même de votre adhésion aux valeurs de l'écologisme[13]. Examinez vos opinions sur la chose. Demandez-vous quelles sont celles qui proviennent vraiment d'un examen minutieux, attentif, rigoureux et complet de votre part. Ce processus vous empêchera d'être dindifié.

Personnellement, je pense que le vrai péril écologique n'a rien à voir avec la dégradation de l'environnement, bien qu'il faille sérieusement s'en préoccuper. Il se situe plutôt dans notre démission à exercer notre jugement critique, démission à laquelle invite le consensus entourant l'écologisme. Dans cette perspective de pureté où l'homme doit fusionner avec la nature, si celui-ci ne participe pas à cette symbiose, il devient un déchet, un rebut. L'homme est donc superflu sur cette planète, et tous les discours apocalyptiques sur la fin de l'homme se justifient. Conséquemment, la justice environnementale peut s'appliquer. Écoutez attentivement le discours des grands prêtres de l'écologisme. Vous n'aurez pas le choix de conclure que cette justice est sans appel, un peu comme celle de Yahvé dans l'Ancien Testament.

Le plus difficile, dans l'affaire, n'est pas d'avoir une opinion ; le plus difficile, c'est de s'interroger. Pourquoi ? Parce que nous avons tendance à avoir réponse à tout. Nous aimons et voulons être consultés à propos de tout et de rien. Or, avoir des opinions *n'est pas* savoir. Il n'y a rien de plus pernicieux que l'opinion personnelle. Elle nous donne l'illusion d'exercer notre jugement et notre libre arbitre, alors que, généralement, elle est le fruit d'une suite interminable de clichés, ou pire encore, l'écho des valeurs de notre époque. Nous préférons nous en remettre à nos opinions, à porter les prêts-à-penser des grands dindificateurs plutôt que de nous interroger. Voilà pourquoi l'écologisme a pu conduire tant de gens à adhérer à la foi verte. Nous aimons que les autres pensent pour nous. Être libre, ce n'est pas avoir des opinions, c'est exercer son jugement. Et c'est peut-être l'exercice le plus difficile à faire.

Sortir du consensus

Réfléchir est un exercice pénible. Il vous oblige à changer d'avis, ce qui a des impacts majeurs. Vous serez obligé de changer de mode de vie. Vous serez obligé de changer votre façon d'être. Vous devrez même refuser les idées reçues. La réflexion est un exercice compromettant, qui demande du courage et exige de vous une intelligence véritable. Il n'est plus question de vous en remettre au jugement des autres. Vous devenez maître de ce que vous voulez penser. Vous serez à contre-courant. Vous vous mettrez en jeu. Vous ferez face à la critique et à la polémique.

Mais au moins, vous saurez que vous ne savez pas et que vous avez tout à apprendre.

Plein de gens dans votre entourage peuvent vous aligner des vérités scientifiques à propos de tout et de rien en matière d'environnement. Combien d'entre eux sont véritablement capables de vous en expliquer les fondements ? Pourquoi devriez-vous croire quelqu'un qui vous énonce une vérité scientifique à propos du réchauffement climatique ? Parce que cette vérité a l'épithète de scientifique ? Quelle horreur ! Pour juger de la validité d'une affirmation scientifique, la première chose à faire est de vérifier qui la prononce et dans quel contexte. Les écologistes qui vous assènent ces vérités scientifiques les unes à la suite des autres sont pires que des ignorants. Ils croient savoir, alors qu'en réalité ils ne font que croire. **À mon avis, croire que l'on sait est pire que l'ignorance.** À l'inverse, se savoir ignorant est un passeport pour commencer à comprendre le monde. Par contre, être ignorant sans le savoir est pire que tout. C'est le processus qui conduit au consensus.

La prochaine fois que vous consommerez équitable, au lieu de répéter dans votre tête le discours consensuel, demandez-vous si le jeu en vaut vraiment la chandelle. Vous êtes-vous rendu compte que le commerce équitable se trouve piégé dans une logique de marché élitiste, car seuls les gens qui font de très bons salaires peuvent consommer équitable ? On crée ainsi une distinction sociale radicale : des produits « inéquitables » pour ceux qui ont peu de moyens financiers et des produits « équitables » pour ceux qui en ont. Ceux qui se trouvent au bas de la classe moyenne n'ont même pas les moyens de consommer des produits équitables. J'ai déjà vécu à la limite de l'indigence et je sais que, dans cette situation, il est impossible de faire ce choix.

Je pense sincèrement que le degré de conscience écologique d'un individu est directement proportionnel à la taille de son porte-monnaie. Dans un tel cas, dans les pays du Sud, nous réglons un problème, et dans les pays du Nord, nous créons une distinction sociale. C'est le principe des bassins versants : on annule l'injustice à une place pour la transposer ailleurs. Si c'est ça être équitable, on repassera !

Ces simples questionnements sont dérangeants. Ils nous obligent à envisager des possibilités qui sont en dehors des opinions admises, des idées reçues et du prêt-à-penser. « *Sapere Aude !* » disait Emmanuel Kant. Osez savoir !

Faisons le point

L'écologisme privilégie les formules toutes faites au détriment d'une véritable réflexion à laquelle vous n'êtes pas convié. On ne vous fournit pas des outils pour réfléchir, mais des outils pour agir. La situation est censée être urgente. Dix ans, tout au plus, comme le souligne Yann Arthus-Bertrand dans son film *Home*. Il faut donc agir. Le consensus commande l'urgence d'agir, et dans l'urgence d'agir, les solutions aux problèmes sont vite proposées. Les vérités scientifiques sont reformatées pour cadrer avec la réalité perçue du problème.

L'écologisme vous empêche de réfléchir par vous-même et de vous poser des questions. Pour le plaisir de la chose, demandez à des jeunes de votre entourage ou à des écologistes convaincus pourquoi il faut sauver la planète. Ils vous aligneront des idées reçues, des clichés et des vérités scientifiques devant lesquels ils n'ont jamais exercé leur jugement. Ils ajouteront qu'il ne s'agit plus de croire s'il y a ou non péril en la demeure et qu'il est déjà peut-être trop tard. S'ils surenchérissent avec « tous les scientifiques s'entendent pour dire que... », soyez convaincu de ce fantastique processus de dindification.

J'ai été très dur avec les écologistes et je maintiens ma position. J'admets qu'ils sont une cible facile. En fait, ils ont tout ce qu'il faut pour qu'on les confronte. On pourrait faire exactement le même exercice avec ceux qui sont contre les thèses du réchauffement climatique. Ils sont tous, à égalité, des dindificateurs agréés !

Cela étant dit, je vous propose maintenant d'aborder une autre grande dindification, plus souterraine, plus pernicieuse, plus insidieuse que celle de l'écologisme. Dans la foulée de la mondialisation, nos désirs de consommation se sont substitués à nos besoins de consommation. La vie est devenue un flux tendu, tout comme celui des chaînes d'approvisionnement. Nous sommes entrés dans l'instantanéité, où le futur se résume au dernier présent qui vient juste de passer sous notre nez.

Partie 3

Le réseau

À la recherche de l'autonomie

Chapitre **6**

Une pièce interchangeable

En 1973, à 18 ans, jeune, prétentieux et arrogant, je me pensais investi de la toute-puissance de décider de ce que je ferais de ma vie. Mon père, alors en grève, avait refusé de me prêter l'argent pour que je me procure le livre *Le choc du futur* d'Alvin Toffler.

« Encore un livre pour te remplir la tête d'idées folles ? Non, pas question.

– Ah, bon... Tu sauras que je n'ai pas l'intention de finir comme toi. Ton genre de vie, je n'en veux pas. Partir le matin à l'usine, revenir en fin d'après-midi, militer dans le syndicat, bricoler les week-ends, deux semaines de vacances par année, etc. Ta vie est d'une platitude consommée. Tu n'as jamais pensé à faire autre chose ?

– Tu sauras, jeune homme, que c'est grâce à mon style de vie que tu as un toit, que tu manges trois repas par jour et que tu ne manques de rien. Tu veux faire de la philosophie ? Fais-en ! Tu n'arriveras même pas à te payer trois repas par jour. Tu veux écrire ? Écris. Tu auras de la difficulté à payer ton loyer chaque mois. Tu veux aller à l'université ? Vas-y. Je n'ai pas un sou à te prêter, par exemple. Débrouille-toi pour y aller. Tu veux que je te dise ? Fais ce que tu veux, on verra bien qui de nous deux a raison.

– Je te prouverai que j'ai raison. Je suis capable de faire autre chose que de pointer à l'usine.

– Tant mieux pour toi. Dis-toi juste une chose : je sais où je m'en vais, tandis que toi, tu ne sauras jamais où tu t'en vas. »

Mon père n'avait pas seulement le don de nous balancer des énormités, il savait aussi nous prouver qu'il avait raison. De 1950 jusqu'au milieu des années 1980, mon père, tout comme des millions d'autres travailleurs en Occident, avait un récit de vie durable. Il avait des références. Il pouvait se positionner où il le voulait dans le passé, le présent, même dans le futur. L'usine pour laquelle il travaillait lui assurait une permanence sur laquelle il pouvait construire son récit de vie. Elle lui assurait une certaine stabilité. Imaginez tous ces gens qui, sans être riches, ont constitué la classe moyenne. C'était une époque où on économisait pour se procurer des biens. Une époque où on avait la certitude de rentrer au boulot le matin et d'avoir une paye tous les jeudis. Une époque où les crises économiques ne dévastaient pas la planète. Une époque où l'avenir était prévisible. Dix ans plus tard, alors que j'étais au chalet de mon père avec mon épouse et mon premier enfant, nous avons eu cette discussion :

« Comment vont les finances ?

– Ça va très bien ! La banque m'a accordé une marge de crédit de 15 000 $.

– Merveilleux, jeune homme ! Tu as compris à quoi sert une vie qui n'est pas d'une platitude consommée ! »

L'existence que mon père a vécue, comme celle de tous les gens de cette génération, n'existe plus et n'existera peut-être jamais plus. Il n'est plus possible de s'en remettre à un cadre de référence stable fourni par l'entreprise et qui permet d'organiser son récit de vie. Vous êtes convié à une toute nouvelle façon de voir le monde. Et dans toute cette histoire, l'acteur de premier plan, c'est vous. Vous devez apprendre un nouveau scénario pour réussir à vivre dans ce monde moderne, sans compter que vous devez constamment le réactualiser au rythme de l'instantanéité des chaînes d'information et des réseaux sociaux.

Pour tout dire, vous êtes devenu responsable de votre réussite ou de votre échec, c'est selon. La mondialisation vous a obligé à l'autonomie. Vous êtes non seulement devenu responsable de votre réussite économique, mais de tout ce qui se passe dans votre vie. La mondialisation a remis en question non seulement l'économie, la finance et la consommation, mais aussi la façon dont vous construisez votre propre vie.

Un changement de vitesse

Dans la société américaine du début du XIXe siècle, vous deviez semer, cultiver et moissonner les céréales[14]. Vous deviez élever du bétail et l'abattre vous-même. Vous deviez produire et transformer vos propres moyens de subsistance. Vous deviez également fabriquer vos vêtements. Vos seules sources de divertissement étaient des livres religieux ou à saveur morale. L'essentiel de votre vie était confiné à un rayon de 50 km de votre demeure. Vous n'aviez aucun loisir. La notion de week-end n'existait même pas, sauf pour vous rendre au service religieux du patelin le plus proche le dimanche venu. Cette société américaine, très conservatrice, était fondée sur des structures contraignantes, où l'expression de l'individualisme était réfrénée.

À la fin du XIXe siècle, virement de situation, non seulement en Amérique du Nord, mais un peu partout en Occident. Aux États-Unis, vous achetiez dans un magasin des vêtements pour vous rendre plus attrayant. Vous mangiez de la nourriture en provenance de tous les coins du pays. Vous pouviez même déguster un sorbet ou boire une bonne bière froide. Si vous demeuriez à New York, à Chicago ou à San Francisco, vous pouviez magasiner chez Macy's ou chez Sears[15] ; même si vous viviez en milieu rural, vous pouviez commander ce que vous vouliez par l'intermédiaire d'un catalogue. Vos lectures comportaient des romans, des nouvelles, de la poésie, etc. Vous disposiez de plus de temps, travaillant moins que vos parents ou vos grands-parents. Vous aviez de plus en plus de loisirs, devenus essentiels à votre équilibre.

La différence qu'il faut faire entre le début et la fin du XIXe siècle se résume simplement : l'irruption de nouvelles technologies. Elles ont systématiquement modifié la structure sociale. Les gens sont passés d'un milieu refermé sur lui-même, où les technologies et les valeurs sociales évoluent lentement, à celui où les premiers médias de masse prennent beaucoup de place. Livres, journaux et magazines ont entraîné une accélération importante de l'échange des idées et des valeurs entre tous les membres de la société. Conséquence ? On s'est ouvert sur le monde.

L'avènement de la vapeur, du train, de l'acier, du pétrole, de l'industrie forestière, de la boucherie, du caoutchouc, des machines à coudre, de la réfrigération, des chaînes de montage, de l'électricité, de la création de la Bourse, du télégraphe, etc., a contribué à propager plus rapidement de nouvelles valeurs. En augmentant la vitesse de ces échanges, on a augmenté de façon importante la capacité d'expression de chaque individu. Celui-ci a compris qu'il avait un rôle à jouer et qu'il pouvait s'exprimer.

Comprenez bien qu'il s'agissait d'une société encore basée sur des valeurs religieuses fortes. Il n'en reste pas moins que des changements profonds étaient en train de s'opérer par la seule irruption de nouvelles technologies. Ce constat étant posé, je vous propose, pour la suite, de *vous* prendre comme point de référence.

Une métamorphose profonde

Imaginez un instant que vous auriez pu vivre depuis le début du XXe siècle jusqu'à ce jour tout en ayant toujours 35 ans. Pourquoi 35 ans ? Parce que cet âge intermédiaire vous donne suffisamment de recul pour pouvoir juger des choses. Supposons un instant que vous ayez vécu ce début de siècle dans la grande région de Detroit, aux États-Unis. Vous voilà ouvrier chez Ford. Votre patron, Henry Ford, un homme pas tout à fait sympathique, vous propose une toute nouvelle façon de vivre : « Amenez vos mains au travail et laissez le reste à la maison ! » C'est son leitmotiv. Sur les chaînes de montage du modèle T, vous êtes une pièce interchangeable. Vous avez maintenant un boulot, vous êtes sorti de la campagne et vous avez accédé au merveilleux monde de la consommation. Votre niveau de vie a augmenté, si bien que vous avez commencé à vivre une vie que vos parents et grands-parents n'auraient jamais pu imaginer, même dans leurs rêves les plus fous. Non seulement vous êtes-vous arraché à la terre, mais vous vous êtes aussi arraché au temps long, celui des jours qui se succèdent. Vous êtes entré dans le temps court, celui des minutes qui se succèdent sur une chaîne de montage.

Faisons maintenant un bond de plus de 50 ans. En 1950, la classe moyenne fait son apparition. Et elle domine tout. Peu de riches, peu de pauvres. C'est le boom de l'après-guerre tous azimuts : démographie, consommation, éducation, banlieues, réseaux autoroutiers, voyages en avion, camionnage, marketing, etc. Tout prend une autre dimension. Vous voilà confronté à une multitude de possibilités, tant sur les plans personnel et professionnel que sur celui de la consommation. Les emplois changent à vue d'œil. La télévision s'impose. L'homme s'apprête à conquérir l'espace. IBM est sur le point de mettre sur le marché le premier grand ordinateur commercial. Vous êtes devenu un homme moderne. Vous n'êtes plus tout à fait cette pièce interchangeable dont Henry Ford avait besoin. Vous avez acquis une valeur supplémentaire. On vous demande d'utiliser votre cerveau de 9 à 5 dans des bureaux modernes où s'entassent des centaines de penseurs comme vous.

Le secteur des emplois tertiaires est en pleine croissance. Les salaires augmentent, tout comme l'inflation. Vous êtes devenu quelqu'un qui peut maintenant se construire **un récit de vie.** Vous êtes embauché par une entreprise, vous y faites carrière, vous mettez à profit votre talent, vous acquérez de l'expérience, vous prenez votre retraite, et voilà, le tour est joué ! Votre boulot n'est pas des plus passionnants, mais il a le mérite de vous offrir l'accès à la propriété, à une voiture, à des divertissements, à de bons collèges pour vos enfants, à une assurance médicaments, le tout suivi d'un petit effet collatéral : l'endettement. Dans l'ensemble, vous êtes heureux. Vous êtes maintenant une pièce qui a un rôle important à jouer. Vous êtes une des briques qui constituent la société et qui maintiennent l'édifice en place.

Soudain, avec l'arrivée des grands ordinateurs, comme l'IBM 360 en 1966, tout change. Vous avez l'impression d'être devenu un numéro. Et là, ça ne va plus du tout ! Big Brother est devenu réalité. Le ministère du Revenu s'est procuré une de ces foutues machines. Vous êtes maintenant fiché dans les entrailles d'un ordinateur. Vos compagnies d'assurance, de téléphone, d'électricité et de gaz, ainsi que les banques et les agences de crédit, se procurent elles aussi ces machines. Une partie de vous se trouve répliquée un peu partout. Malgré vous, vous devenez un numéro. Vous vivez une angoisse existentielle. Vous craignez, et à juste titre, pour votre vie privée. On tente de vous rassurer en vous disant que toutes les données vous concernant sont plus en sécurité que lorsqu'elles étaient inscrites sur du papier. ET VOUS Y CROYEZ !

Dans la société, votre rôle prend une nouvelle tournure. Vous êtes toujours une brique dans l'édifice social, mais la structure commence lentement à s'effriter. Votre patron se demande s'il ne serait pas préférable d'externaliser certaines activités dans des pays en voie de développement, là où la main-d'œuvre coûte tellement moins cher. Du coup, votre patron vous regarde d'un autre œil. A-t-il encore besoin de vous dans un tel contexte ? Lorgne-t-il vers la philosophie d'Henry Ford ? Vos mains seront-elles bientôt de retour au boulot ?

Le milieu des années 1980 marque un tournant. Vous ne le savez pas encore, mais votre rêve de classe moyenne, l'*American way of life*, est sur le point de s'effriter. Une curieuse convergence se produit : l'économie et la finance rencontrent les technologies de l'information et de la communication. L'ordinateur personnel trouve sa place dans les bureaux depuis au moins cinq ans. Tableur électronique et traitement de texte se disputent l'espace cognitif de tous les gestionnaires de la planète, trop heureux de disposer d'outils peu coûteux pour éliminer les tâches fastidieuses. On accélère le processus inhérent au traitement et à la transmission de l'information.

Soudain, la mondialisation vous tombe dessus.

Les capitaux se mettent à circuler plus rapidement, soutenus par la nouvelle infrastructure informatique. Non seulement n'y a-t-il plus d'étanchéité entre économie et finance, mais la finance prend le dessus. Elle dicte maintenant le pas. Wall Street devient un lieu culte. Oliver Stone en fait même un film. Les *traders* et les *golden boys* deviennent des modèles à imiter. Ils vivent une vie à la vitesse grand V. Les écrans ont colonisé toutes les places boursières. L'ordinateur a sur-multiplié la vitesse des transactions. Le temps s'est comprimé.

Vous ne vous en rendez pas compte, mais l'État est sur le point de perdre son rôle de régulateur de la société au profit de la logique des marchés financiers. Plus les capitaux changent rapidement de main, plus les profits sont élevés. Autrement dit, plus on gagne du temps, plus on gagne de nouveaux marchés.

Le temps capitalisable

Il y a, dans cette course à la vitesse, une révolution cachée que personne ne voit encore venir. Le microprocesseur de votre ordinateur n'est jamais assez rapide. L'industrie vous a entendu. Elle planche sur des bêtes toujours plus efficaces et performantes. Un événement imprévisible, qui aura un impact majeur et déterminant, percole dans les laboratoires pour traiter et transmettre toujours de plus en plus rapidement l'information. Le temps est devenu précieux. On peut maintenant associer au temps des capitaux.

Le temps devient donc un bien qui doit être traité comme tel. Il a maintenant une fonction économique. Vous perdez votre temps ? Vous voulez gagner du temps ? Vous manquez toujours de temps ? Le vocabulaire du temps capitaliste s'insinue pernicieusement dans votre vie. « Le temps c'est de l'argent », disait Benjamin Franklin. Quel visionnaire ! Le temps est devenu une donnée du marché. Le temps est capitaliste. Les symptômes reliés au temps surgissent de toutes parts : procrastination, épuisement, dépression, surmenage, etc. Ils veulent ralentir le temps capitaliste. Rien à faire.

L'irruption et la convergence de deux technologies tout à fait imprévues viennent tout bouleverser : Internet et la fibre optique. L'information est maintenant instantanée. Les délais sont réduits à néant. La bande passante débite des quantités astronomiques d'informations en quelques nanosecondes.

En 1995, le temps subit une autre transformation d'importance : il se virtualise et se dématérialise, tout comme l'information. Avec l'arrivée d'Internet, il devient numérique. On ne mesure plus uniquement le temps en fonction des secondes qui s'écoulent, mais en fonction de la quantité d'informations qu'on peut transmettre dans un laps de temps donné. C'est la course à la compression de tout ce qui peut être comprimé. Le temps peut donc se contracter et se comprimer, se codifier en suite numérique de 0 et de 1, tout comme on comprime des fichiers informatiques. C'est une révolution.

Nous avons, depuis l'invention de l'écriture il y a presque 5000 ans, préservé le savoir humain sous différentes formes tangibles : pierre, manuscrits, livres, disques de vinyle, rubans magnétiques, etc. En contrepartie, depuis la montée en puissance du numérique, nous nous sommes furieusement activés à tout dématérialiser sous forme de 0 et de 1. Ce n'est plus seulement les contenus que nous numérisons et dématérialisons, c'est l'Histoire elle-même. Ce faisant, le temps a acquis une double identité : bien capitalisable et pure information mesurable. Parce qu'on peut mesurer le nombre de 0 et de 1 transmis ou reçus dans un intervalle de temps donné, on peut lui attribuer un coût. C'est donc un bien ou un service facturables.

Quant à eux, les spécialistes du marketing ont maintenant leur Saint-Graal. Ils peuvent tout mesurer de votre comportement sur Internet. Mesurer est l'autre facette du temps. Combien avez-vous passé de temps devant cette page Web ? Combien de temps avez-vous perdu à dire n'importe quoi à propos de tout et de rien sur les réseaux sociaux ? À combien de publicités avez-vous été exposé au cours de votre dernière session sur le Web ? Quelles publicités avez-vous vues ? Quelles publicités devrait-on vous proposer ? Qui sont vos amis ? Quels sont vos champs d'intérêt ? En mesurant, car le numérique permet de mesurer, il devient possible de trouver réponse à ces questions.

Cette nouvelle capacité d'accélérer, de contracter et de comprimer le temps a forcément un impact sur vous. Et il est de taille ! Vous êtes devenu à la fois un être instantané et un être de l'instantané :

1. **Un être instantané,** dans le sens où vous vivez au rythme de vos désirs et non de vos besoins. Désirs de consommation et pulsions que vous devez vivre ici et maintenant. Il n'est plus nécessaire d'épargner pour se procurer un bien. Épargner exige du temps. On a solutionné pour vous ce problème : le crédit. Achetez immédiatement, payez plus tard. Acheter à crédit abolit le temps de l'épargne. Du moins, cela vous en donne l'illusion.

2. **Un être de l'instantané,** dans le sens où vous vivez constamment dans l'urgence et l'immédiateté, « comme si la vitesse de résolution des problèmes pouvait, à elle seule, donner du sens à votre action »[16].

En tant qu'être instantané, vous êtes constamment en flux tendu, tout comme l'est le commerce mondialisé, tout comme le sont les chaînes de montage sous la philosophie du toyotisme. Tout avoir à portée de main, là, maintenant, au bon moment, juste à temps. La mondialisation n'est pas une simple question d'économie et de finance, mais bel et bien une façon de vivre. C'est le zéro défaut ou la tolérance zéro, un euphémisme qui cache mal l'intolérance. Constamment soumis à un flux tendu dans tous les aspects de votre vie, constamment dans l'éphémère plutôt que le durable, vous finissez un jour par craquer. La dépression ou l'épuisement vous guettent, maladies modernes issues de la mondialisation. Plusieurs s'en sortent fort bien et deviennent eux-mêmes des flux tendus constamment englués dans le présent et le maintenant.

En tant qu'être de l'instantané, vous êtes soumis à trois prescriptions – urgence, instantanéité, immédiateté – qui commandent que vous soyez compétent, performant et entrepreneur de votre propre vie. On ne vous demande plus d'avoir du talent et de l'expérience – ce n'est plus nécessaire dans une société mondialisée –, mais d'être compétent et performant, point à la ligne. Développez vos compétences et remettez-les constamment à jour pour pouvoir vivre votre vie professionnelle et personnelle selon les nouvelles technologies à la mode.

Voilà ce qu'est devenue votre vie : aucun horizon temporel, sauf celui de l'instant présent.

Internet mobile est devenu le parangon de l'immédiateté. Vous êtes en contact constant avec le présent de tous les autres. Être présent, là, disponible pour écouter, pour travailler, pour échanger, pour vous divertir. Bip ! Bip ! Mon collègue avec qui je suis en train de dîner au restaurant est dérangé par son téléphone portable. Il est informé par un réseau social de ce qui se passe dans une conférence à laquelle il n'a pu assister. Il est branché, connecté et harponné par les milliers de messages insipides qui envahissent sa vie. Il me regarde, me sourit et me dit : « Merveilleux la techno ! » Bip ! Bip ! Il faut qu'il rapporte des couches pour le petit dernier. Bip ! Bip ! Son enregistreur à la maison amorce l'enregistrement d'une émission qu'il écoutera plus tard. Bip ! Bip ! La webcam du bureau a détecté un mouvement. Bip ! Bip ! L'univers accessible en deux bips.

Une fuite en avant constante vers le prochain présent aussi prenant que celui que vous venez à peine de vivre. Une multitude de présents qui s'alignent les uns derrière les autres et qui ne constituent même pas un récit de vie durable. Juste des fragments de vie au son d'un bip. Exit le talent. Exit l'expérience.

Être compétent

Vos enfants sont confrontés à une nouvelle pédagogie : la pédagogie par compétences. On leur apprend à exercer leur compétence, non plus à apprendre. Et vous les retrouvez, le soir à la maison, compétents comme pas un devant un écran quelconque qui communique avec le monde entier. Ils vous impressionnent, même. Ils sont capables de s'adapter à une multitude de situations, car ils savent comment être compétents.

Soudain, vous vous rendez compte que les coachs de vie ont colonisé l'espace public. Que vous disent-ils ? Soyez compétent ! Tout comme la pédagogie par compétences. Prenez-vous en main ! Faites votre propre bonheur ! Soyez l'entrepreneur de votre vie ! Soyez autonome ! Et ils font recette, de façon incroyable. Ils engrangent des millions de dollars en vous faisant croire que vous devez être compétent et performant. ET VOUS Y CROYEZ ! Vous y croyez tellement que vous buvez leurs paroles, que vous achetez leurs livres, que vous assistez à leurs séminaires à prix fort. Ils prônent le succès, cette maladie moderne issue de la mondialisation. Et c'est une conséquence logique. Autrefois honni, l'entrepreneur est devenu le penseur moderne. Il est symbole de la réussite, l'entrepreneur. Il fait vivre des gens, il fait tourner l'économie, il possède un gros compte de banque. Et vous le voulez ce compte ! Les coachs de vie vous disent que c'est possible. ET VOUS Y CROYEZ ! Vous y croyez parce que vous constatez que la classe moyenne s'effrite à vue d'œil, et vous ne voulez pas vous effriter vous aussi. Vous constatez qu'il y a de plus en plus de riches et de plus en plus de pauvres. Seule issue possible : être riche. Pour être riche, il faut être compétent et performant. Vous vous y mettez. On vous a dindifié ! Et royalement !

Mais là ne s'arrête pas la chose. On vous a dindifié encore plus que vous ne pourriez le croire. De pièce interchangeable sous Henry Ford à brique de l'édifice social de 1950 à 1970, vous êtes devenu un nœud du réseau, car la vie ne se vit plus que par procuration à travers Internet, le réseau des réseaux. Être un nœud du réseau est la nouvelle façon d'être, et cela n'a rien de bien réjouissant.

Faisons le point

Mon père, à 68 ans, est décédé avec la conviction d'avoir pleinement réalisé sa vie. Sur son lit d'hôpital, il m'a dit qu'il s'inquiétait pour moi et ma famille. Il m'a aussi raconté sa vie en fonction de son travail. Pour une bonne partie, il l'a détesté. Par contre, grâce à son emploi, il a pu faire des projets. Et il les a faits. Quarante ans pour y parvenir. Ma mère lui a survécu 10 ans sans aucun problème financier. Tout était planifié. Ma mère aussi avait un récit de vie en fonction du travail de son mari.

Je ne peux pas en dire autant pour moi-même, encore moins pour mes enfants. Terminé, le récit de vie durable. Les technologies vont continuer à évoluer vers une dématérialisation totale et systématique du temps. C'est ce à quoi s'attaquent les technologies : le temps.

Le temps comprimé ne peut s'accommoder d'une structure qui dure dans le temps. C'est tout bonnement incompatible. Tout doit être instantané. Tout doit aller vite, encore plus vite. Le temps a donc besoin d'un autre point d'ancrage. Quel est-il ? Le réseau. Nous sommes tous devenus un quelconque nœud du grand réseau planétaire auquel on peut se connecter ou duquel on se déconnecte à volonté. Aussi bien vous faire à l'idée : il n'y a pas de retour possible.

Votre talent, votre expérience, on s'en fout. Vous avez des compétences mobiles ? Tant mieux ! Apprenez avec celles-ci à devenir un nœud du réseau efficace et performant. Je vous invite donc à découvrir, dans le prochain chapitre, pourquoi et comment vous êtes devenu un simple nœud du réseau.

Chapitre **7**

Être un nœud du réseau

De 1930 à 1960, mon grand-père a travaillé comme responsable de l'expédition internationale pour une usine qui fabriquait du papier. Tout en exerçant son métier, il a occupé pendant plus de 13 ans le poste de maire de cette petite ville industrielle. Il avait du temps. Jamais rien n'était urgent. Il a eu 13 enfants. Son seul salaire a suffi pour acheter une maison et faire vivre cette grande famille. C'était un homme austère. Sa femme tenait maison. Chaque jeudi, il avait une paye. Tout était prévu dans sa vie. Il s'était construit un récit de vie durable. Mon père, comme je vous l'ai raconté, s'est lui aussi donné un récit de vie durable. Il a reproduit le comportement de mon grand-père, tout comme ses frères. Mes cousins, de 5 à 10 ans plus vieux que moi, ont mené cette vie, à peu de choses près. J'ai à peine imité ce comportement, et mes enfants ne le reproduiront pas du tout, encore moins mes petits-enfants.

Que s'est-il passé pour que ce schéma social soit remis à ce point en question ? C'est tout simple : les technologies ont envahi tous les secteurs de l'activité humaine. Nous sommes passés de la **société structure** de mon grand-père et de mon père à la **société réseau** de mes enfants.

Avant l'arrivée du numérique et de la mondialisation, les gens vivaient au rythme des grands cycles économiques. On épargnait. Personne n'était pressé d'acquérir un bien. Il suffisait de produire pour répondre à une demande particulière. Les choix de consommation étaient limités. Une entreprise ne déclinait pas en 100 différents modèles sa production de grille-pain ! Personne n'avait l'idée de complexifier une cuisinière électrique, une machine à laver ou une sécheuse au point de les rendre impossibles à activer ! Personne ne vivait dans l'urgence. Avoir un récit de vie durable à travers un emploi fournissait non seulement une raison de vivre, mais le sentiment d'exister et de se projeter dans le futur.

Tout cela a changé, et radicalement. Aujourd'hui, on ne produit plus des biens pour répondre à une demande particulière, mais bien pour répondre à des besoins créés artificiellement. De plus, on complexifie tout ce qui peut l'être. On truffe de microprocesseurs le moindre objet d'utilité courante. Au travail comme à la maison, vivre dans l'urgence, constamment en flux tendu, fournit non seulement une raison de vivre, mais le sentiment d'exister intensément, ici et maintenant. Pourquoi un tel changement ?

L'impératif marchand

Le capitalisme a toujours fonctionné selon deux logiques complémentaires : la logique de production, qui structure le travail au quotidien, et la logique financière, qui régit la stratégie d'investissement de l'entreprise. Si les revenus sont à la baisse, on réduit la production et on licencie. S'ils sont à la hausse, on embauche et on redémarre la production. Ça, c'était la situation avant 1985. Que s'est-il donc passé cette année-là ? La logique financière a pris le dessus sur la logique de production. Pourquoi ? Parce que l'informatique, les communications et la finance ont convergé. De cette convergence est née une complexe infrastructure capable de gérer la production de biens et de services en temps réel, et ce, à la grandeur de la planète.

On appelle ça la mondialisation.

On a massivement délocalisé la production. On a mis au point l'économie à flux tendu : zéro stock, zéro délai, zéro panne, zéro défaut et zéro papier. Du coup, on a basculé dans une société totalement différente. La nature même de la consommation a changé, tout comme celle du travail. Il est devenu flux tendu. Et qui dit flux tendu dit urgence permanente.

J'ai une amie, Sophie, qui travaille dans une imprimerie. Le jour où son patron a accédé à des technologies d'impression à la demande respectueuses de l'environnement, la vie de Sophie a été bouleversée. Sa relation avec le client a radicalement changé. Plus question pour elle de se charger de la production – du graphisme à l'impression en passant par la conception. Du point de vue de son patron, le temps requis pour ces tâches était non compressible, donc non rentable. Il a donc compressé le temps de la production en le transférant au client qui, par l'intermédiaire du site Internet, fournit ses fichiers. Et le tout est fabriqué et imprimé en moins d'une journée, selon les quantités voulues.

Le travail de Sophie se résume maintenant à faire de la prospection. Elle doit désormais maximiser le nombre de clients dans un laps de temps donné. Logique de production et logique financière sont désormais contradictoires, dans le sens où la logique de production exige une période déterminée non compressible pour produire un bien ou un service, tandis que la nouvelle logique financière cherche à tout compresser, surtout le temps, pour maximiser les profits. Temps compressé. Temps capitalisable. Temps rentable.

Un beau matin, le patron de Sophie a annoncé à tous ses employés – dont il avait réduit le nombre de 25 % tout en augmentant ses revenus de 15 % depuis le lancement de l'impression à la demande – que l'entreprise se mettait en mode innovation. Tous les employés se sont sentis menacés. Qu'est-ce que cela voulait dire ?

Après avoir participé à un séminaire organisé par la Chambre de commerce locale, le patron a compris que l'innovation permanente était gage de succès. On lui a fait croire qu'il fallait être en première position pour conquérir de nouveaux marchés. Pour y arriver, il doit respecter **2 règles incontournables** :

◉ innover ;

◉ gérer efficacement le temps.

L'un ne va pas sans l'autre. Par exemple, la société Apple est la quintessence de cette logique financière qui impose la première position. Ses produits déterminent littéralement les balises pour le reste du marché de la haute technologie. Elle est dans une course constante à l'innovation pour maximiser ses profits, et cela lui réussit très bien. On peut donc supposer que, chez Apple, la logique de production est subordonnée à la logique financière. Par contre, cette subordination a cet effet pervers : de moins en moins d'entreprises se partagent les parts d'un même marché. Le gagnant rafle tout. Dominer un marché et le verrouiller le plus rapidement possible est devenu la nouvelle façon de faire des affaires.

Convaincu par ce nouveau type de management, le patron de mon amie a bien enrobé la chose. Pendant tout un week-end, il a réuni ses employés dans un endroit champêtre au décor enchanteur. Les quelques cadres de l'entreprise jubilaient. On avait invité un coach d'entreprise réputé. Selon son discours, simple, pour ne pas dire simpliste, il était possible d'y arriver, il suffisait d'y croire. Sophie a alors appris qu'il fallait élaborer des stratégies gagnantes, éliminer la concurrence, maintenir ses positions, identifier les faiblesses des autres, foncer, se replier de façon stratégique, conquérir son marché, éliminer les pertes de temps, gagner en productivité, maximiser les profits avec le moins de ressources possibles, etc. L'entreprise est un bataillon qui se retrouve au front, constamment sur ses gardes, sans répit.

Sophie a aussi appris que 1995 avait été une année charnière avec l'arrivée d'Internet : le commerce électronique est devenu réalité. Les échanges commerciaux se sont accélérés de façon exponentielle. Les capitaux ont commencé à circuler plus librement et à une vitesse affolante. Le commerce et la finance se sont inextricablement liés dans un immense réseau planétaire marchand.

Au cours de la rencontre, le coach d'entreprise a pris à partie Sophie et lui a dit : « En 2005, une autre révolution s'est produite pour les entreprises : les réseaux sociaux. Il n'est plus seulement question de commerce et de finance. La société même est devenue un réseau. Oui ! Vous, madame, vous êtes maintenant un nœud de cet immense réseau ! »

Puis, à l'intention de tous, il a ajouté : « Chaque employé de votre imprimerie est désormais connecté à tous les autres nœuds de ce grand réseau social et commercial. Si vous voulez que votre entreprise croisse, si vous voulez conserver votre emploi, vous devez vous investir personnellement. Vous devez être l'entrepreneur de votre propre vie et de votre carrière. Vous devez être un entrepreneur au sein même de votre entreprise. Vous devez vous promouvoir. Vous en remettre aux autres n'est plus une solution acceptée ni acceptable. Vous êtes tous des gagnants ! Vous êtes des battants ! Rien ne vous est impossible ! Ce que nous attendons de vous, c'est que vous soyez compétents, autonomes, efficaces et performants. Vous êtes tous capables d'y parvenir, il suffit de le vouloir ! » ET ILS Y ONT CRU !

Le patron de Sophie a compris la puissance du réseau et il a su y investir. Il a réseauté avec tout ce qui pouvait être réseautable. Son réseautage lui a permis de décrocher un contrat pour imprimer des livres à la demande pour certains géants de l'édition. Il a maintenant une longueur d'avance sur plusieurs imprimeurs. Ce virage vers le réseau a connu un tel succès que la majorité des employés de l'imprimerie sont désormais convaincus que se comporter comme le nœud d'un réseau est ce qu'il faut faire. Leur salaire a même augmenté ! Comment nier une telle réalité ?

Être en réseau avec le réseau global de l'entreprise branché sur le monde est donc un impératif. Au surplus, on a même convaincu les employés de cette imprimerie à vivre dans l'urgence permanente, à compresser le temps, les effectifs, la production, etc. Conséquemment, chacun se sent vivre intensément au rythme des incessantes connexions et déconnexions du réseau. Mais à quel prix ?

Plus personne n'est mis en valeur

Stéphane, un type sympathique que j'ai connu il y a quelques années, a suivi une formation pour devenir boulanger. Une fois son cours réussi, il était devant cette alternative : postuler dans une boulangerie artisanale, où la rémunération frise le salaire minimum, ou bien dans une boulangerie industrielle, où le salaire est plus qu'acceptable.

À la boulangerie industrielle, on lui a demandé s'il savait se servir d'un ordinateur pour faire fonctionner une chaîne de production. On a vérifié s'il avait les compétences requises pour interpréter des suites de symboles affichés sur un écran. Ce qu'il savait. À la boulangerie artisanale, on a d'abord vérifié s'il possédait un certain talent. On lui a demandé de préparer une pâte pour faire un véritable pain de campagne et le faire cuire. Ce qu'il a réussi. Il ne lui restait qu'à choisir là où il voulait travailler. Il a opté pour la boulangerie industrielle. Trois ans plus tard, malgré l'écart salarial, il s'est fait embaucher dans une boulangerie artisanale. Avouez que vous vous attendiez à un tel dénouement ! Nous aimons les histoires qui finissent bien, dans lesquelles les gens mettent à profit leur talent et leur expérience pour défier la grande industrie déshumanisante.

Pourtant, curieusement, vous faites tout le contraire dans votre propre vie.

Parlons de vous, justement. Parlons de votre statut de travailleur, qui a changé. Il fut une époque, avant 1985, où vous deviez mettre votre talent ou votre expérience au service de votre patron. Vous mettiez des années à bâtir une relation de confiance, mais peu importe. Votre patron avait un engagement envers vous, tout comme vous aviez un engagement envers lui. Vous étiez une des briques de la structure sur laquelle reposait l'édifice de son entreprise. Il avait besoin à la fois de votre talent et de votre expérience. Ce fut d'ailleurs la philosophie appliquée avec succès tout au long de la décennie 1980. On vous mettait en valeur. Personne ne vous considérait comme un nœud du réseau auquel on peut se connecter ou duquel on se déconnecte à volonté.

Avant que les outils informatisés envahissent les boulangeries, celui qui pétrissait la pâte ou celui qui boulangeait le pain exécutait un travail en fonction de son talent et de son expérience. On exigeait des boulangers qu'ils sachent faire une seule chose, mais qu'ils la fassent très bien. Aujourd'hui, dans une boulangerie moderne, comme Stéphane l'a expérimenté, il suffit de savoir comment interpréter les symboles affichés à l'écran. On exige une compétence ; le talent est ici tout à fait inutile.

Personne ne dira de vous que vous avez le « talent de l'ordinateur » ou d'un quelconque logiciel. Vous avez développé une compétence pour utiliser ces outils. D'ailleurs, lorsque vous vous présentez pour un nouvel emploi, les gens des ressources humaines veulent connaître, en plus de vos talents et de votre expérience, vos compétences en informatique. Ce qui importe, c'est que vous soyez compétent devant tous ces écrans qui ont colonisé le monde. Par la suite, on conclut que vous devez avoir le profil approprié pour l'emploi postulé. Et vous êtes engagé !

Autonomie, efficacité et performance

Revenons sur la question de la logique financière qui détermine les conditions de votre engagement comme employé. Elle est régie par **4 règles** :

◉ compresser tout ce qui peut l'être ;

◉ produire plus avec moins ;

◉ vivre constamment en flux tendu ;

◉ être compétent et performant.

Non seulement y a-t-il compression du temps, ce que vous savez déjà, mais il y a aussi compression des travailleurs et des compétences. Je m'explique. Vous connaissez sûrement le leitmotiv des entrepreneurs et des politiciens : faire plus avec moins. Vous en faites peut-être même régulièrement les frais. Pour y arriver, votre patron réduit le nombre de travailleurs en injectant, dans le milieu de travail, des technologies ou des procédures toujours de plus en plus performantes qui viendront combler le manque de travailleurs, question de maximiser les profits. Conséquence : en tant que travailleur, vous êtes constamment plongé dans l'urgence. Devenues la norme, les situations urgentes se succèdent. Vous êtes sans cesse soumis à un flux tendu, tout comme les chaînes de production. L'idée est de maximiser le nombre de tâches à accomplir. C'est le flux tendu de la mondialisation, qui implique qu'un nombre minimal de ressources soient requises à un moment précis dans une période relativement courte. Édifiant…

Dans toute cette histoire, on a réussi à vous faire croire, tout comme y est parvenu le coach d'entreprise avec les collègues de Sophie, que si vous arrivez à vous en tirer, vous êtes quelqu'un d'autonome, d'efficace et de performant. Ce faisant, votre patron vous confie de plus en plus de tâches qui doivent être exécutées avec le moins de ressources possible. Vous vous sentez donc indispensable. Et c'est là que votre patron vous apprécie. Vous fonctionnez comme le reste de son usine, en flux tendu. Il peut en mettre et en rajouter, car vous êtes capable d'absorber. Or, vous ne vous rendez pas compte que tout ce que vous faites est voué au néant. Rien ne perdure. Vous n'aurez jamais la satisfaction du travail accompli que vous pourrez admirer, qu'il s'agisse d'un produit ou d'un service ; juste la vague impression d'avoir réussi à vous en sortir. Pire encore, vous aurez le sentiment que c'est ça, vivre. Toute cette activité compulsive à laquelle vous vous livrez détermine le rôle que vous avez à jouer dans votre milieu de travail et, par conséquent, dans la société. Cette hyperactivité donne un sens à votre existence. ET VOUS Y CROYEZ !

Malheureusement, ce ne sont pas tous vos collègues qui sont en mesure de vivre dans un flux tendu. Regardez bien dans votre entourage. Pour certains, l'activité permanente et le fait de vivre d'une urgence à l'autre deviennent des pierres d'achoppement. Il y a ici des batailles à livrer et des exploits à accomplir, mais tous vos collègues ne sont pas des battants, contrairement à vous. Vous, vous êtes autonome ; eux ne le sont peut-être pas. C'est le grand défi de chacun dans cette société qui fonctionne en flux tendu : l'autonomie. Pour être autonome, il faut avoir du potentiel. C'est non seulement une qualité à acquérir, mais une façon de vivre. Il n'y a qu'à regarder les rayons d'une librairie afin de constater que les guides « pour révéler votre potentiel » abondent.

Regardez aussi tous ces coachs de vie qui mettent sous perfusion de bonheur des centaines de milliers d'idiots qui veulent découvrir et faire émerger leur potentiel. Vous pouvez être ce que vous imaginez, disent-ils. Wow ! Qui ne serait pas tenté par une telle promesse ? Avoir du potentiel est important, autrement vous êtes sans intérêt. Alors, les gens s'emploient ardemment à faire émerger leur potentiel pour être autonomes dans une société qui exige de vivre dans un flux tendu constant.

La mise en réseau

Dans la société moderne en réseau, les relations entre vous, votre patron, vos collègues et vos amis sont devenues une suite ininterrompue de connexions et de déconnexions aléatoires ou prédéterminées, choisies ou subies. Pourquoi ? Parce que le réseau a infiltré les moindres aspects de votre vie. Le réseau vous permet d'échanger de l'information ou des idées, de communiquer et de commercer. Vous avez d'ailleurs aligné votre comportement à celui du réseau. Vous vous connectez à vos semblables et vous vous en déconnectez. Vous reprenez contact avec eux lors de la prochaine connexion. Ce que j'avance ici n'est pas seulement une métaphore, c'est une réalité. Faites le bilan de vos dernières relations avec autrui : s'agit-il d'une relation ancrée dans une permanence qui se construit lentement et qui exige engagement au fil du temps ou bien s'agit-il d'un simple échange d'informations ?

J'ai des amis qui travaillent dans une boîte de consultants. Ils sont constamment ballottés d'un projet à l'autre. Leur patron se « contente de rassembler pendant une période de temps relativement courte des personnes très disparates sans destin commun, mais prises dans un jeu de relations plus ou moins durables »[17]. Tous peuvent se connecter à tous ou se déconnecter de tous à volonté, selon les besoins imposés par les différents projets. Ils sont réactivables ou désactivables à volonté. Tout ce qu'on exige d'eux, c'est qu'ils puissent rendre disponibles leurs compétences pour un temps donné. Ils forment temporairement un réseau interconnecté ; les connexions de l'un complètent les connexions de l'autre, et vice-versa.

Dans un tel contexte, pourquoi aurait-on besoin de votre talent et de votre expérience ? Parce que le talent et l'expérience ne peuvent faire les frais d'une suite constante de connexions et de déconnexions. Ils exigent une certaine permanence, ce qui est impossible dans un réseau, car le réseau n'a pas de finalité. La constance coûte cher financièrement, mais aussi sur le plan personnel. S'investir dans une relation exige un engagement et un investissement. Dans un réseau, l'engagement n'est même pas un critère de fonctionnement. C'est même un handicap.

Vous comprenez alors pourquoi votre patron n'a pas du tout l'intention de retourner à l'ancienne vision, celle où vous étiez une brique qui soutenait la structure de son édifice. Le réseau est trop efficace pour envisager un tel retour. Vous êtes alors devant cette alternative : vous isoler du réseau ou devenir un nœud du réseau. Le choix est vite fait. Le réseau vous convie à devenir vous-même un nœud du grand réseau mondial pour être en synchronie avec le flux des capitaux. L'argent est disponible par le réseau, et pas autrement. Vous devrez vous connecter. Pourquoi pensez-vous que les gourous du Web 2.0 et des réseaux sociaux ne cessent de vous dire « Créez votre propre réseau ! », « Joignez-vous à des réseaux ! », « Soyez en réseau ! » ? Parce que telle est la conséquence du réseau.

Le philosophe Zygmunt Bauman a une expression savoureuse pour décrire cette société devenue réseau : la « modernité liquide »[18]. Tout y est fluide. C'est bien ce qu'on attend des gens : de la fluidité. Lorsque je vois mon fils et ma fille acquérir des tonnes de compétences fluides pour réussir à décrocher un boulot qui ne durera peut-être que deux ou trois ans, tout comme les projets de mes amis qui travaillent pour une boîte de consultants, je suis abasourdi. Nos systèmes d'éducation produisent à profusion des jeunes gens compétents et inemployables, ou du moins, employables dans des secteurs pour lesquels ils n'ont pas été formés.

Nous assistons aussi à un autre phénomène tout aussi fluide : l'extinction rapide des compétences. Les technologies changent. Les besoins des consommateurs changent. Les besoins du réseau changent constamment. Les compétences deviennent obsolètes à la vitesse de ces changements. Entre recycler un employé dans la cinquantaine ou embaucher un jeune, le choix est vite fait. Le dernier coûte moins cher que le premier, même si le dernier peut faire défection n'importe quand. Peu importe, il y a, à l'extérieur, un incroyable bassin de jeunes gens compétents. C'est l'avantage d'avoir la capacité d'être un nœud du réseau, autonome et compétent. L'employé de 50 ans est agaçant. Il pose des questions et veut toujours tout remettre en cause en fonction de son talent, de ses connaissances et de son expérience. Sur le plan du management, c'est dépassé, très coûteux et en totale contradiction avec la logique financière.

Faisons le point

Premièrement, dans une société de type structure, il est possible de se construire un récit de vie pour se projeter dans l'avenir à travers le travail. On donne un sens à sa vie. Par exemple, de 1980 à 1990, on a presque érigé en système la culture de l'engagement des employés envers l'entreprise. C'était l'époque où votre employeur comptait sur votre talent et votre expérience. On mettait tout en œuvre pour vous garder. On ne lésinait pas pour vous former. Lorsque la mondialisation s'est imposée, vous êtes soudainement devenu embarrassant. Pourquoi investir dans un employé alors qu'il peut être remplacé par un autre à plus bas salaire à l'autre bout de la planète ?

Deuxièmement, dans une société de type réseau, le récit de vie durable n'existe plus. Exit la culture de l'engagement pour l'entreprise. Votre employeur vous a classé dans la catégorie éphémère. Le sens de votre vie se résume à vivre intensément le présent, car vous n'avez pas d'autres portes de sortie. Vous êtes plongé dans l'instantanéité des connexions et des déconnexions avec autrui. Votre avenir correspond au dernier présent qui vient tout juste de passer. Le lien social s'est désagrégé, sinon perdu, parce que le temps pour discuter avec les autres a été comprimé. La socialisation n'a donc pas le choix de passer par des échanges électroniques rapidement expédiés. On n'a plus le temps d'écouter, de discuter et de parler. Le temps qu'on a voulu gagner avec tous les moyens de communication que nous procure le réseau des réseaux, Internet, se retourne contre soi. Une conclusion s'impose : mettre entre les mains des gens de plus en plus de technologies pour pallier ce problème et « mieux » communiquer. Vous avez bien lu ! Combattre le feu par le feu.

Tout comme on l'a fait pour Sophie, Stéphane et mes amis qui travaillent dans une boîte de consultants, on vous demande d'être autonome, performant et compétent pour conquérir de nouveaux marchés, pour assurer votre emploi et pour acquérir de nouvelles compétences qui deviendront rapidement obsolètes. Et vous obtempérez parce que VOUS Y CROYEZ ! Pourquoi ? Parce que chaque jour qui passe vous confirme, avec une évidence toujours plus marquée, que vivre dans l'urgence, constamment en flux tendu au rythme du réseau, vous fournit non seulement une raison de vivre, mais le sentiment d'exister intensément, ici et maintenant. Flux tendu et urgence vont de pair. Pourquoi la dinde exigerait-elle autre chose ? N'est-ce pas ce qu'elle veut, se sentir vivre ?

Bienvenue dans la société de type réseau, où la recherche de l'intensité de la vie dans une connexion a remplacé la recherche d'un but à l'existence !

Chapitre 8

Deuxième démission personnelle

Un beau matin, un de mes amis, qui s'est cru entrepreneur après avoir lu des livres écrits par des coachs de vie – entendre ici qu'il a été dindifié –, s'est retrouvé sans le sou, endetté comme pas un. À 50 ans, sans emploi, car il possède du talent et de l'expérience plutôt que des compétences, le voilà devenu vendeur dans une quincaillerie grande surface, malgré tous ses diplômes universitaires. Grâce à cette expérience, il a pu prendre la juste mesure de l'impact de la mise en réseau de la société et de la démission du consommateur. Pour dire vrai, il ne s'agit pas d'un ami, mais de moi ! Qui de mieux placé pour parle de dindification que celui qui a déjà été dindifié ?

Premièrement, dans ce type de commerce, vous êtes payé au salaire minimum. Pourquoi devrait-on vous offrir plus ? Votre compétence se limite à celle de pouvoir vendre et de placer sur les étals de la marchandise pour la plus grande part fabriquée en Chine. Jusque-là, rien de bien compliqué.

Deuxièmement, ironie du sort, beaucoup de retraités qui avaient auparavant de très bons emplois – arpenteur, informaticien, conseiller financier, entrepreneur, etc. – travaillent dans ce type de commerce. Dans la langue de bois des gestionnaires et des fonctionnaires, cette réalité se nomme l'égalité des chances en emploi pour les 55 et plus. Pire encore, pour certains directeurs des ressources humaines, ces gens ont non seulement la maturité et l'expertise pour répondre à la clientèle, mais ils travaillent aussi pour le plaisir. Je me tords de rire ! Travailler pour le plaisir au salaire minimum !

Troisièmement, beaucoup de clients font des remarques du genre « On sait bien, c'est fabriqué en Chine... », « Les Chinois ont pris le contrôle », « Les Chinois ont volé nos *jobs* », « Les Chinois gagnent des salaires de misère », « Pourquoi on engagerait quelqu'un d'ici qui coûte 10 fois plus cher pour faire la même chose ? ». Le plus fou dans l'affaire, c'est que ceux qui passent ce genre de commentaires ressortent avec un barbecue, un meuble ou des outils fabriqués en Chine ! Elle est là, la démission du consommateur. Nous continuons à consommer ce qui provient de l'autre bout de la planète tout en déplorant que tout vienne de l'autre bout de la planète et que notre économie aille mal. Contradiction, quand tu nous tiens !

Pourquoi nous comportons-nous de cette façon ? Peut-être parce qu'on a réussi à nous faire croire que nous vivons à une époque merveilleuse et magique où tous nos désirs, et pas forcément nos besoins de consommation, peuvent être satisfaits rapidement, efficacement et à bas prix grâce au fléau de la production en flux tendu. Comment cela s'est-il produit ? Quels en sont les impacts ?

Le syndrome chinois

Au cours de la décennie 1990, nos gouvernements ont fait miroiter l'eldorado commercial chinois à ces idiots utiles que sont parfois les entrepreneurs. Les gourous, les experts et les spécialistes ont alors prédit que l'avenir des entreprises était en Chine. Qui peut se priver d'un accès à un marché de plus d'un milliard de personnes ? Les entrepreneurs y ont cru. Ils ont à la fois déplacé la production industrielle vers la Chine et y ont ouvert de nouveaux marchés. Jusque-là, tout va bien.

Là où ça ne va plus du tout, c'est que nous avons collectivement consommé plus de produits chinois que nous n'en avons exporté vers la Chine. Bilan de l'opération ? De 1997 à 2006, le déficit commercial entre le Canada et la Chine[19] est passé de 3,9 milliards de dollars à 26,8 milliards ; celui des États-Unis[20], de 10 milliards en 1990 à 226 milliards en 2010. La France, quant à elle, l'a creusé[21] pour atteindre 20 milliards d'euros en 2009, soit près de 4 fois plus qu'en 2000. Bilan de ces déficits et de notre consommation compulsive de produits chinois ? Des millions d'emplois perdus dans ces trois pays, sans compter tous les autres dont le déficit commercial se creuse jour après jour. Conséquences de ces pertes d'emplois ? Appauvrissement des classes moyennes, diminution du partage de la richesse, augmentation du nombre de démunis, augmentation des inégalités sociales, augmentation du capital entre les mains des plus riches.

Nous sommes devenus débiteurs envers la Chine, alors qu'avant 1990 nous étions créditeurs. Même plus, nous nous plaignons que tout vient de la Chine ! Allez y comprendre quelque chose ! Alors, selon vous, qui contrôle l'économie ? Il se pourrait fort bien que le monde appartienne à la Chine[22]. Un peu gonflé comme affirmation ? Écoutez ça, pourtant.

La Chine a un avantage marqué et significatif que nous n'avons pas : une main-d'œuvre surabondante composée d'ouvriers paysans peu payés, une faible consommation intérieure et la faiblesse de sa monnaie. Cette combinaison gagnante permet à la Chine de gagner sans cesse des marchés à l'exportation et de désavantager les importations dans son marché intérieur. Voilà ce qui se produit. Cette explication simplifiée a au moins le mérite d'être claire. Malgré tout, et sachant cela, nous continuons à consommer chinois. Je sais, je me répète, mais je veux que vous soyez conscient des impacts de notre comportement collectif.

L'impact chinois

Vous vous rappelez Stéphane qui a troqué son bon salaire dans une boulangerie industrielle pour un emploi au salaire minimum dans une boulangerie artisanale. Il adore son travail et il s'y investit totalement. La boulangerie pour laquelle il travaille a pignon sur rue dans un quartier relativement bien nanti. Stéphane s'est rendu compte d'une chose : au prix où se vend le pain qu'il boulange, un employé au salaire minimum ne saurait se le payer. Même pas lui. Diplômée en graphisme, sa conjointe, Mireille, travaille pourtant au salaire minimum dans un commerce de détail. Pourquoi n'exerce-t-elle pas son métier ? Parce qu'elle travaillait auparavant pour l'imprimerie où se trouve encore Sophie. C'est l'effet réseau. L'imprimerie s'est déconnectée de Mireille.

Le week-end, Stéphane travaille encore au salaire minimum, mais dans une quincaillerie à grande surface, pour arrondir ses fins de mois. Mireille, même si elle est enceinte, réalise le soir des contrats de graphisme à la pige pour la boîte de consultants où travaillent mes amis. Dernièrement, elle a conçu une affiche pour une entreprise canadienne qui conçoit des planchers de bois franc qu'elle fait fabriquer en Chine et qui seront revendus dans des quincailleries à grande surface partout en Amérique du Nord. Stéphane a même vendu de ces planchers à trois des clients de sa boulangerie. Une fois de plus, c'est l'effet réseau. La Chine est massivement connectée au réseau marchand planétaire. Remarquez à quel point tout est lié. Le pain artisanal de Stéphane est connecté à la Chine ! J'exagère à peine.

Maintenant, rappelez-vous mon grand-père qui a pu acquérir une grande maison et subvenir aux besoins d'une famille de 13 enfants avec un seul salaire tout au long de sa vie. Regardez maintenant Stéphane et Mireille qui, bien que diplômés, vivent dans un appartement, arrivent tout juste à vivre avec deux salaires, sans oublier leurs cartes de crédit qui flirtent régulièrement avec la limite autorisée. Il suffirait que l'un ou l'autre perde son emploi pour qu'ils s'engagent tous les deux sur la pente glissante de la pauvreté. Scénario impossible ? N'en soyez pas si certain.

Je vous présente maintenant un autre couple, Olivier et Roxanne. Ce sont mes deux amis de la boîte de consultants qui obtient des contrats d'entreprises de partout dans le monde. Économiquement parlant, ils se situent dans le haut de la classe moyenne. Chacun gagne un salaire annuel supérieur à 65 000 $. Olivier roule en 4 x 4 de l'année, financé par la banque. Idem pour Roxanne qui possède une petite voiture sport. Ils ont acheté une maison, avec double garage, de plus de 350 000 $. Six personnes pourraient y vivre tellement elle est grande, mais ils ne sont que deux. Ils ont obtenu une hypothèque fermée pour cinq ans à un taux d'intérêt de 3,25 %. Une aubaine dans les circonstances. Ils mangent régulièrement au restaurant, assistent à des spectacles, fréquentent les bars branchés, ne lésinent pas sur la qualité de la nourriture ; d'ailleurs, ils achètent même du pain fabriqué par Stéphane. En un mot, ils n'ont pas de soucis financiers.

Aussi curieux que la chose puisse paraître, Olivier et Roxanne sont dans une situation similaire à celle de Stéphane et Mireille malgré leurs revenus. Si l'un d'entre eux perd son emploi ou si le taux d'intérêt hypothécaire augmente ne serait-ce que de 1 %, ils risquent de s'engager sur la pente glissante de l'endettement et de l'appauvrissement. Le processus est un peu plus lent que pour Stéphane et Mireille, mais la finalité est la même. Impossible qu'ils en arrivent là, me dites-vous, parce qu'ils possèdent de solides compétences dans leurs domaines respectifs. Et si la Chine, après avoir investi le domaine de la production manufacturière, investissait celui des services, est-ce que leur boîte résisterait à ce nivellement par le bas des salaires et du coût de la prestation des services ? Permettez-moi d'en douter. Vous êtes connecté à la Chine que vous le vouliez ou non. C'est un autre effet du réseau.

Vers un appauvrissement programmé

Le portrait de la situation de Stéphane, Mireille, Olivier et Roxanne serait incomplet sans cette donnée importante : ils vivent d'une paye à l'autre. Eh oui, même Olivier et Roxanne arrivent à exécuter cette acrobatie malgré leurs revenus. On peut comprendre que Stéphane et Mireille se retrouvent dans une telle situation, mais l'autre couple ? Pour tout dire, cela s'explique très bien. Plus on dispose de revenus, plus on dépense. C'est vieux comme le monde. En voici une preuve éloquente.

À la fin de 2010, le ratio d'endettement[23] des ménages canadiens par rapport à leur revenu – si on inclut l'hypothèque et le solde des cartes de crédit – était de 148,1 %. Autrement dit, pour chaque dollar gagné, 1,48 $ devait être remboursé… À moins que je ne sache pas calculer, il me semble qu'il y a là un sérieux problème. Dans cette course à l'endettement, les Américains tiennent le haut du pavé avec un ronflant 157,6 %[24], contre 146,4 % pour les Britanniques, 130 % pour les Espagnols, 100 % pour les Japonais, 98 % pour les Allemands et 75 % pour les Français. À l'évidence, il y a une tendance à l'endettement qui nous conduit vers un appauvrissement programmé. Vous en doutez ? Voici une autre preuve.

En 2010, « la France comptait 7,9 millions de personnes (13,1 % de la population) considérées comme menacées par la pauvreté [...] En outre, 42 millions d'Européens, soit 8,5 % de la population de l'Union européenne, se trouvaient en 2008 en situation de privation matérielle grave, ce qui signifie que leurs conditions de vie étaient limitées par un manque de ressources tel qu'elles n'étaient pas en mesure de régler leurs factures, de chauffer correctement leur logement, de s'acheter une voiture ou un téléphone[25]. » « Au Canada, depuis deux ans, la fréquentation des banques alimentaires a connu une hausse de près de 30 % [...] Près de 868 000 Canadiens ont fait appel aux organismes qui donnent des denrées. Il s'agit d'une augmentation de 9 % par rapport à 2009. Et, en deux ans, il s'agit d'une augmentation de presque 30 %. Du jamais-vu depuis qu'on compile ces statistiques, soit 1986. De tous les citoyens qui demandent de l'aide pour manger à leur faim, 40 % sont des enfants et des adolescents [...] Le nombre de ménages bénéficiant de l'aide sociale et recourant aux banques alimentaires a grimpé de 40 % en un an[26]. » De plus, selon un rapport publié par le chercheur David Hulchanski, en 35 ans, à Toronto, les quartiers pauvres ont presque triplé, et le nombre de quartiers riches a légèrement augmenté[27]. En 1970, la ville comptait 66 % de quartiers composés de familles à revenus moyens. Cette proportion a chuté à 29 % en 2005. Pire encore, la pauvreté s'est déplacée du centre-ville vers les périphéries.

Êtes-vous en mesure de lire entre les lignes ce qui est écrit dans le paragraphe précédent ? Qu'est-ce qui vous étonne le plus ? L'augmentation de la pauvreté ? Moi, c'est plutôt l'augmentation du nombre de quartiers riches, à la fois dans les centres-villes qu'on revitalise – traduction : déplacer ailleurs la pauvreté –, comme dans les banlieues périphériques cossues, le genre de milieu où vivent Olivier et Roxanne.

Ce n'est pas moi, c'est l'autre

Alors que la classe moyenne s'appauvrit rapidement et que les riches s'enrichissent, il y a un autre phénomène encore plus inquiétant pour ceux qui se sont appauvris. Avoir un emploi n'est même plus une condition suffisante pour échapper à la pauvreté[28]. **On peut travailler, contribuer à la productivité et à la prospérité de son pays, mais devoir lutter quotidiennement pour répondre à ses besoins fondamentaux.** Connaissez-vous des gens dans cette situation ? Moi, oui. Que vous le vouliez ou non, plusieurs d'entre nous devront vivre ce scénario dans les années à venir. Les enfants, les familles monoparentales (en particulier celles ayant une femme à leur tête), les femmes, les célibataires, les personnes âgées, les autochtones, les personnes handicapées, les nouveaux immigrants, les personnes de minorités visibles et les ménages vivant d'un salaire minimum sont les plus susceptibles d'être victimes de cet appauvrissement programmé. Mais pourquoi est-il programmé ?

> **Nous avons tort de croire que la montée en puissance de la Chine est seule responsable de cette situation en Occident comme dans le reste du monde. Nous avons nous-mêmes programmé cet appauvrissement. La Chine ne fait que répondre à notre besoin compulsif de consommation. Nous ne pouvons rien reprocher à la Chine. Nous n'avons qu'à nous en prendre à nous-mêmes.**

Faut-il rapatrier ici la production industrielle ? Faut-il être protectionniste ? Faut-il obliger la Chine à faire en sorte que le taux de change de sa monnaie varie librement ? Je ne le sais pas. Je ne suis ni expert, ni spécialiste, ni économiste. Par contre, peut-être sommes-nous dans une situation irréversible. En continuant tous à « consommer la Chine » comme nous le faisons, peut-être sommes-nous en train de remettre en question les fondements de la démocratie et du libre marché. Vous trouvez ça surréaliste comme affirmation ? Et pourtant.

L'essayiste et démographe français Emmanuel Todd a émis une hypothèse fort intéressante à ce propos[29]. « Nous attendons avec impatience que la Chine modernisée combine, dans sa pratique politique, suffrage universel et pluralisme des partis [...] Nous devons à l'inverse nous demander – compte tenu de la taille de la Chine, du rôle de plus en plus central qu'elle joue dans la détermination des niveaux de revenus américains et européens – si le parti communiste chinois ne nous indique pas aussi l'objectif politique à atteindre : la dictature, appelée chez nous gouvernance. »

La Chine nous démontre, chiffres à l'appui, que la démocratie n'est pas un préalable pour faire fonctionner l'économie de marché. Pouvons-nous penser que la Chine nous pousse à nous départir d'une démocratie encombrante pour mieux faire rouler l'économie de marché ? Sûrement pas, car nous avons la conviction que l'économie de marché peut pousser un pays à adhérer aux valeurs proposées par la démocratie, tout comme nous croyons que les technologies sont des vecteurs de la démocratie. D'une façon ou d'une autre, nous avons la certitude que cela ne peut pas se produire, car des gens bienveillants, tout comme le fermier, veulent que nous soyons comblés.

Est-ce que la démocratie changera de visage ? Est-ce que la Chine s'effondrera ? Est-ce que l'appauvrissement des classes moyennes se poursuivra encore long-temps ? Est-ce que les quartiers riches prendront encore de l'expansion dans les villes ? Je ne le sais pas, vous ne le savez pas, personne ne le sait. Mais il y a une chose que nous savons : il y a toujours un mille et unième jour.

Faisons le point

Chaque fois que je réfléchis à notre condition, ce qui me fascine, ce sont les Sté-phane, Mireille, Olivier et Roxanne de ce monde. Non pas parce qu'ils se compor-tent comme nous n'oserions pas nous comporter, mais parce qu'ils nous ressemblent à plus d'un égard. Nous avons tous en nous un trait de leur compor-tement. Une part de nous veut vivre sa vie, intensément, ici et maintenant. Une part de nous a démissionné de son obligation de réfléchir pour éviter d'être din-difié. Je sais que vous doutez encore, que vous me prenez pour un alarmiste, ce que je ne suis pas. Je fais tout simplement des constats qui m'amènent à soulever nos contradictions. Et une étonnante contradiction est celle de tenir la Chine res-ponsable de ce qui nous arrive. Mais il y a mieux encore que cette contradiction.

J'ai pour vous une fable encore plus surprenante que celle d'*Alice au pays des mer-veilles*. Il s'agit de la fable d'*Alice au pays de Google*. Là où la Chine a réussi à ré-pondre avec brio à tous nos besoins de consommation grâce à notre concours, Google a réussi l'achèvement du capitalisme. Plongez avec moi dans cet univers où la réalité n'arrive même pas à rejoindre la fiction, tant elle la dépasse.

Bienvenue dans la société « googlifiée » !

Partie 4

Internet

À la recherche de l'efficacité

Chapitre 9

Une société « googlifiée »

Un beau jour, Mireille, que vous connaissez déjà, a ouvert un blogue. Elle allait passer du plus total anonymat à la plus grande reconnaissance possible. Du moins, c'est ce qu'elle croyait. Succombant aux discours prêchés par les gourous du Web, en moins de 6 mois, elle a rédigé plus de 90 billets drôlement bien ficelés, allant de la conception graphique jusqu'aux fins détails de l'utilisation d'un logiciel spécialisé. Mireille est une personne très consciencieuse et professionnelle dès qu'il s'agit de ce qui la passionne. Elle met tout en œuvre, ne lésine pas sur les moyens et n'est surtout pas avare de son temps. Stéphane, son conjoint, l'appuie dans son projet, lui-même convaincu que le blogue de Mireille est un merveilleux outil de promotion qui lui permettra de faire sa marque.

Démarrer un blogue peut sembler très excitant, car on se dit qu'on pourra enfin être entendu. Malheureusement, dans la majorité des cas, un blogue attire de 10 à 20 personnes par jour pendant plusieurs semaines, voire des mois ou des années. C'est l'univers du Silence 2.0.

Quelque peu dépitée par la faible fréquentation de son blogue, Mireille a pris les grands moyens. Elle a mis en place une stratégie d'acquisition d'auditoire. Voici ce qu'elle a fait, et ce que vous auriez sûrement fait à sa place. Peut-être vous reconnaîtrez-vous si vous avez déjà tenu un blogue.

1. Vous rédigez beaucoup de billets, en espérant que quelqu'un vous remarquera.

2. Vous consultez frénétiquement les statistiques de fréquentation de votre blogue.

3. Quand vous constatez qu'on ne vous remarque pas assez rapidement, vous mettez en place des stratégies d'acquisition d'auditoire, comme l'optimisation pour les moteurs de recherche, l'envoi de courriers électroniques pour dire que vous existez et la fréquentation de médias sociaux, comme Facebook et Twitter.

4. Puis, vous recommencez les étapes 1, 2 et 3 jusqu'à l'obtention d'un résultat satisfaisant.

5. Malgré tous vos efforts, vous attirez à peine 50 visiteurs par jour.

Pourquoi n'atteignez-vous pas les chiffres promis par les maîtres blogueurs ? Parce que vous êtes victime de deux phénomènes devant lesquels vous êtes impuissant : **la longue traîne** et **la contingence.** La longue traîne peut se résumer simplement : le gagnant rafle tout[30]. En fait, un nombre très restreint de blogues comptent des centaines de milliers d'hyperliens qui pointent vers eux. Votre blogue, quant à lui, a un nombre très restreint d'hyperliens qui pointent vers lui. Il a ce qu'on appelle une nanoaudience. Il est situé dans la longue traîne. Conséquemment, vous vous retrouvez totalement isolé dans la galaxie des blogues.

Que faut-il faire pour arriver à devenir LE blogue vers lequel tout le monde pointe ? Rien. Il suffit d'être chanceux. Il suffit que la contingence joue en votre faveur. Dites-vous qu'il est possible que votre blogue devienne extrêmement populaire, même si ce n'est pas nécessaire. Comment pourriez-vous faire jouer la contingence en votre faveur ? Et si vous misiez sur Google ?

La gratuité à la Google

Lorsque Mireille a constaté que, à peine 15 minutes après la publication d'un billet, Google l'affichait, elle s'est émerveillée devant la puissance de ce moteur de recherche. Elle avait maintenant la certitude de pouvoir atteindre un auditoire beaucoup plus vaste. Je dois avouer que je suis le premier à m'être émerveillé devant Google. Le seul problème, c'est que je n'avais aucune idée de l'ampleur de l'euphorie dans laquelle Google nous a tous plongés. Décortiquons ensemble le phénomène. Il vous surprendra à plus d'un égard ! Le modèle d'affaires de Google, très payant par ailleurs, est essentiellement basé sur la gratuité :

1. Google vous offre gratuitement tout ce qu'elle conçoit comme logiciels ou bien vous refile gratuitement tous les logiciels des entreprises qu'elle rachète ;

2. Google utilise gratuitement tous les contenus disponibles sur le Web pour faire de l'argent sans vous verser un sou.

Ma seconde affirmation vous semble étrange ? Elle ne l'est pas. C'est un constat. Des millions de Mireille tiennent un blogue et produisent gratuitement de l'information, tout comme des centaines de millions de sites Web de différentes natures. Google ne s'approprie pas le contenu que vous produisez, mais les liens vers ce même contenu. Régulièrement, les robots de Google visitent les blogues et les sites Web, y moissonnent les informations disponibles et les engrangent dans ses propres serveurs. Google n'affiche pas votre site depuis ses propres serveurs, mais il n'en reste pas moins que cette société dispose de l'information que vous avez créée.

Dans tout ce processus, avez-vous autorisé Google à conserver les informations de votre site dans les entrailles de ses bases de données ? Non. Est-ce que quelqu'un a contesté cette façon de faire ? Très peu. Certains me diront que c'est un bien pour un mal, car Google dirige des visiteurs vers votre site. C'est là que réside la première force de Google, ce qui fait votre affaire.

Si on se fie à ce que dit Google, son algorithme est en bonne partie basé sur la notion de popularité d'un lien. Chaque fois que vous inscrivez un lien vers un autre site, Google enregistre celui-ci comme étant un vote en sa faveur. Vous avez donc particulièrement intérêt à ce que d'autres sites vous mentionnent.

La valeur ajoutée de l'algorithme de Google tient essentiellement dans sa capacité à relever les votes qui comptent le plus. Sans les liens et la notion de vote, Google est une coquille vide.

Ironie de la chose, ce n'est pas l'algorithme de Google qui décide de la qualité des contenus, c'est vous qui le faites en inscrivant plein de liens tout partout, et de façon bénévole ! Vous travaillez gratuitement pour Google à établir la popularité des sites et vous êtes heureux de le faire ! VOUS EN ÊTES HEUREUX ! Vous me direz que l'hyperlien représente le fondement même du Web, qu'il est à la base de cette grande œuvre collective, et je ne vous contredirai pas. C'est juste que Google, plus futée que tout le monde, a saisi l'occasion au premier bond de s'enrichir à partir d'une œuvre collective bénévole.

Le trio de Google : gratuité, lot d'utilisateurs et publicité

Après trois mois de sa stratégie d'acquisition d'auditoire, voyant que les utilisateurs commençaient à affluer, Mireille s'est dit qu'elle devrait trouver un moyen de rentabiliser son blogue et d'en retirer un certain revenu. Google lui apporte des utilisateurs, ou des visiteurs si vous préférez, mais dans quelle mesure ces visiteurs peuvent-ils se transformer en clients ? Google a imaginé une solution fantastique pour les gens qui tiennent des blogues ou des sites plus traditionnels : **AdSense.** Cette plateforme permet aux webmestres d'afficher la publicité de Google dans leurs sites. Mireille s'est donc inscrite au programme AdSense et a placé sur ses pages, à trois endroits stratégiques, la publicité de Google sur la foi des conseils des maîtres blogueurs. Elle espère maintenant que les visiteurs cliqueront sur la publicité pour gagner sa pitance.

Malheureux constat : après 3 mois d'utilisation du programme AdSense, Mireille n'a accumulé que 12,51 $. Une pitié, alors qu'elle espérait au moins atteindre les 300 $ mensuellement, entre autres grâce aux conseils des gourous du Web.

D'où provient cette publicité ? s'est-elle finalement demandé. Google a mis au point une plateforme de régie publicitaire extrêmement efficace pour les annonceurs, **AdWord,** qui s'adresse autant aux particuliers qu'aux PME et à la grande entreprise. Fonctionnant comme un système d'enchère, l'annonceur fait une mise sur un mot ou un groupe de mots. Celui qui fait l'enchère la plus élevée verra sa publicité s'afficher en priorité sur les pages du moteur de recherche de Google et sur les sites qui utilisent AdSense. Preuve de l'efficacité et de la rentabilité des deux plateformes ? Le système a permis à Google d'amasser plus de cinq milliards de dollars au seul deuxième trimestre de 2010[31] !

Mireille s'est alors dit : « Pourquoi est-ce que je ne participerais pas au programme AdWord ? Pourquoi est-ce que je n'annoncerais pas mes propres services de graphisme ? » Ce qu'elle a fait. Utilisant sa carte de crédit, qui était à quelque 400 $ de la limite autorisée, elle achète une première tranche de mots clés pour 60 $. Surprise ! En moins de 72 heures, le trafic sur son blogue triple. Même mieux, le nombre de clics sur les publicités proposées par le programme AdSense augmente dans ce même laps de temps. Mireille est heureuse. Elle a maintenant la conviction qu'elle peut faire de l'argent en tenant un blogue. Elle en informe son conjoint qui, lui, voit plutôt les réserves de la carte de crédit s'épuiser, car dès lors que les fonds du compte AdWord de Mireille s'épuisent, elle reçoit un gentil courriel de la part de Google qui lui dit que, en se basant sur sa campagne actuelle, il lui reste environ une semaine d'affichage. Et Mireille achète encore une tranche de mots clés.

Elle a joué à ce petit jeu pendant plus de quatre mois, pour finalement se rendre compte qu'elle perdait au change. Il lui en coûtait plus cher pour annoncer que ce qu'elle en retirait. Après 4 mois, Mireille aura dépensé au total 360 $ en souscrivant à AdWord pour retirer 97,13 $ en provenance du programme AdSense. Elle est donc déficitaire de 262,87 $. À cette loterie déguisée, Google ressort gagnant à tout coup.

Certes, on me rétorquera qu'il y a des gens qui font de l'argent avec le programme AdSense, ce que je ne réfuterai pas. Combien sont-ils par rapport aux Mireille de ce monde ? Je ne veux pas vous entretenir de cas anecdotiques, je veux vous entretenir de la masse, celle de la longue traîne. C'est justement sur la masse, la longue traîne, que mise Google, qui a compris trois choses essentielles. Pour faire de l'argent, il faut :

1. s'approprier sans aucune rétribution le contenu des autres ;

2. posséder le plus grand nombre possible d'utilisateurs ;

3. afficher la publicité dans les moindres recoins du Web.

Le trio gratuité, lot d'utilisateurs et publicité devient ainsi un puissant modèle économique. Par exemple, les modèles d'Apple, de Walmart et de GM sont basés sur les clients et non sur la notion du nombre d'utilisateurs. Avec ces sociétés, vous ne tergiversez pas et vous avez une idée très claire de leur intention. Elles veulent que vous achetiez quelque chose. Il s'agit d'une relation commerciale ; votre argent contre un produit ou un service. Avec Google, vous n'avez pas cette notion de client, puisque Google vous offre tout gratuitement – la plupart du temps en version bêta[32]. En échange, vous devenez un utilisateur, qui cliquera éventuellement sur une de ses publicités. On comprendra alors que Google a intérêt à disposer du plus grand nombre possible d'utilisateurs comme Mireille et de sites Web qui affichent ses publicités. Et cette quête de Google pour afficher la publicité et obtenir des utilisateurs est sans fin, car un seul utilisateur a peu de chances de cliquer sur la publicité. Ici, la loi des grands nombres s'applique. Si seulement 1 % du milliard d'internautes cliquent sur les publicités, ce sont tout de même 10 millions de personnes qui auront cliqué, et ça, c'est extrêmement rentable.

On peut dire sans ambages que Google a proposé un nouveau modèle économique en rupture avec le modèle économique classique. Ce qui importe n'est pas d'avoir des clients, mais des utilisateurs. Avoir des utilisateurs est donc la nouvelle donne économique, et certains petits futés pensent que ce modèle peut être appliqué partout. Conséquemment, une nouvelle euphorie s'empare des gens, et nous entrons dans un marché haussier d'une économie nouveau genre. Quel est ce nouveau marché ? Celui de la gratuité et des utilisateurs. Cette nouvelle économie est celle du don. **Vous donnez pour ne recevoir aucune rétribution, alors que d'autres s'en mettent plein les poches.**

Premièrement, Google a réussi à mettre en place un modèle économique vraiment révolutionnaire. Il suffit de moissonner l'information que tous les gens produisent gratuitement sur Internet sans leur verser un sou, puis de monétiser cette même information. Pour appliquer ce modèle, il vous suffit de :

1. créer une plateforme quelconque que vous offrirez gratuitement ;

2. intéresser un très grand nombre d'utilisateurs ;

3. savoir comment durer jusqu'à ce que vous puissiez monétiser le contenu.

Une fois ces trois conditions réunies et appliquées, vous avez à votre disposition une machine à imprimer de l'argent. ET VOUS Y CROYEZ !

Deuxièmement, ce modèle économique a fait croire à tout le monde que l'information devait être gratuite, quelle que soit sa nature. Qui plus est, on a réussi à vous faire croire que ceux qui produisent des contenus ne doivent pas s'attendre à faire de l'argent avec leurs contenus. Ils doivent se servir de leurs contenus comme d'un tremplin pour gagner leur pitance en faisant autre chose, comme donner des séminaires, des conférences, des entrevues, etc. ET VOUS Y CROYEZ !

Troisièmement, on a réussi à vous faire croire que, plus il y a d'informations, plus vous avez d'occasions de faire valoir vos contenus et de vendre. ET VOUS Y CROYEZ ! Vous croyez même qu'en ayant un site Internet ou un blogue, vous ferez des affaires et de l'argent.

En réalité, ceux qui font vraiment de l'argent, et je parle ici de sommes importantes, sont ceux qui, tout comme les créateurs de Google, de Facebook, de Twitter et bien d'autres, ont compris cette seule et unique chose :

Plus vous avez d'utilisateurs, plus vous êtes en mesure d'atteindre une masse critique pour monétiser, d'une façon ou d'une autre, l'information disponible. Le grand avantage du modèle économique basé sur le nombre d'utilisateurs est qu'il n'est absolument pas nécessaire de produire quoi que ce soit. Vos utilisateurs le font gratuitement pour vous.

C'est l'achèvement du capitalisme : travailler sans le savoir et enrichir en même temps, sans le savoir, seulement quelques personnes. Le modèle rêvé de tous les capitalistes patentés ! Ça, c'est la nouvelle économie ! On vous donne des outils pour à la fois vous exprimer, produire et consommer, tout en retirant des sommes mirobolantes, et on arrive à vous faire croire qu'il s'agit d'ouverture, de partage, de collaboration et de transparence. ET VOUS Y CROYEZ ! Appelez ça du postcapitalisme ou du socialisme digital, ou tout ce que vous voulez, il n'en reste pas moins qu'on a réussi à vous dindifier. Mon collègue Georges Vignaux a une expression savoureuse à ce sujet : « Les imbéciles ont le pouvoir, ils ne s'arrêteront pas... »

Ceux qui ne font pas d'argent, ce sont les dindes comme Mireille. Ceux qui mettent au point des plateformes basées sur le nombre d'utilisateurs et qui réussissent à franchir le cap du million d'utilisateurs peuvent penser intéresser des dindes. Mais pour intéresser des dindes, il faut pouvoir créer un phénomène d'euphorisation. Google, en créant l'illusion de la gratuité et de l'abondance, a mis en place un processus d'euphorisation du marché de la gratuité. Les dindes sont maintenant convaincues qu'il est possible de vivre de la création de contenus tout en ne retirant pas de revenus de ces mêmes contenus. Elles pensent que l'argent viendra d'activités connexes à la création de contenus.

Faisons le point

Être une dinde a finalement bien des avantages. Vous y croyez tellement que vous avez la certitude que vous saurez vous différencier en ayant un blogue, une page Facebook ou un site Internet. Quelle naïveté ! En fait, vous oubliez que, dans cette nouvelle économie où les gens travaillent gratuitement sans le savoir, l'avantage financier est du côté de ceux qui détiennent les plateformes pour exploiter l'information produite gratuitement, et pas autrement. Malgré tout, peut-être êtes-vous prêt à accepter les miettes. CAR VOUS Y CROYEZ !

Pourquoi pensez-vous que Google, Facebook, Twitter et les autres connaissent tant de succès ? C'est tout simple : ils ont réussi à réunir les conditions essentielles à la dindification, qui sont les suivantes :

1. Avoir un engouement pour un phénomène ;

2. Avoir des gourous, des spécialistes, des experts et des experts autoproclamés qui relaient l'engouement ;

3. Compter sur un nombre suffisant de dindes qui succombent à l'engouement ;

4. Faire en sorte que l'engouement s'amplifie grâce au nombre de dindes qui adhèrent successivement à l'engouement ;

5. Cacher aux dindes qu'elles sont victimes d'un engouement.

Et quel est cet engouement dont vous vous êtes tout particulièrement entiché ? Votre inaltérable soif de vous exprimer à propos de tout et de rien ! D'où vous vient cette obsession de l'expression ? Il faut être présent, prouver qu'on existe ; il faut survivre, vivre, ici et maintenant, intensément. Les blogues et les réseaux sociaux deviennent ainsi d'une redoutable efficacité. Leur première fonction est, comme les oiseaux, de « montrer leurs plumes », et la seconde est, selon Georges Vignaux, d'échanger pour exister. Ce faisant, vous produisez des tonnes d'informations que les Google de ce monde exploitent. Cette expression de vous-même est l'explosion de l'expression du moi par le truchement des réseaux sociaux.

Bienvenue dans l'egocasting !

L'explosion du moi

Revenons à ma copine Mireille. Eh oui, encore elle ! Elle m'est utile, car elle est presque l'archétype de la personne qui s'investit sur le Web 2.0. Souvenez-vous que, dans sa stratégie d'acquisition d'auditoire, les gourous lui ont fortement suggéré d'utiliser les réseaux sociaux pour faire la promotion de son blogue. Elle a donc compris que, si elle voulait qu'on parle d'elle et de son blogue, elle devait parler des autres en créant des hyperliens. C'est le principe du « Tu me grattes le dos et je te gratterai le dos » chez les primates.

Ce partage, cette ouverture et cette collaboration que vous pratiquez se traduisent uniquement par le fait d'augmenter votre cote de popularité. Ne cherchez pas d'autres explications. Vous n'êtes pas mère Teresa, il n'y a strictement rien de désintéressé dans votre geste. Par exemple, si vous vous collez à un blogueur influent et que vous créez des hyperliens vers ses billets, ou si vous vous collez à un utilisateur influent de Twitter et que vous répétez ses microbillets (*tweets*), vous êtes dans les deux cas dans une démarche de reconnaissance personnelle. Vous anticipez un remboursement. Vous ne savez pas quand l'ascenseur vous sera retourné, mais vous êtes prêt à encenser quelqu'un jusqu'à ce qu'il vous reconnaisse enfin. C'est le principe de la société d'adoration mutuelle.

117

Twitter, par exemple, est la quintessence de cette société. Les célèbres *Follow Friday* sont un moment privilégié pour mentionner quelles sont nos personnes préférées. Comme nous sommes tous des êtres grégaires, que nous avons tous un ego, nous aimons que quelqu'un mentionne notre nom, car nous aimons que notre ego soit flatté. Comme nous sommes polis, nous citons à notre tour tous les gens qui nous ont mentionnés. Nous créons ainsi une société d'adoration mutuelle. Personne ne nous adorera si on n'adore pas quelqu'un en retour. De cette façon, Facebook, aussi bien que Twitter, nous enferme dans un cercle de mutuelle adoration, et nous pensons que les autres nous apprécient. En réalité, nous ne sommes pas vraiment adorés par les autres au sens littéral du terme : les autres nous adorent pour que nous les adorions en retour.

Intrinsèquement, nous recherchons tous la reconnaissance. Facebook et Twitter sont tout simplement venus amplifier ce phénomène. C'est de l'opportunisme à l'état pur sous le couvert de la philosophie de la grande ouverture et de la collaboration que prône le Web 2.0. En ce sens, Twitter est peut-être la plus fantastique machine d'adoration mutuelle jamais inventée. Paradoxalement, c'est aussi un fantastique outil de rejet mutuel. L'un ne va pas sans l'autre. Essayez de faire uniquement de l'autopromotion sans jamais promouvoir les autres – j'ai testé la chose à quelques reprises ; vous ne serez plus apprécié, car on croira que vous n'adorez personne, mais que vous vous adorez vous-même. Vous devez adorer pour qu'on vous adore ! Vous êtes suspect si vous ne montrez pas de marques d'appréciation ou si vous ne faites pas partie d'une société d'adoration mutuelle.

Un évangélisateur du Web 2.0 l'affirmait : « Imaginez ce qui importe le plus : les relations. C'est la clé de votre futur[33]. » ET VOUS INVESTISSEZ DANS TOUT CE QUI PEUT RESSEMBLER DE PRÈS OU DE LOIN À UNE RELATION ! N'importe quoi fait l'affaire. Vous avez la certitude que votre avenir est là, que vous le construisez, que vous mettez en place tout ce qu'il faut pour qu'il advienne. D'ailleurs, Kevin Rose, le président de Digg[34], a très bien circonscrit le phénomène alors qu'il répondait au journaliste de ZDNet :

> **ZDNet :** Quels sont, selon vous, les trois termes qui définissent le mieux le Web 2.0 ?
>
> **Kevin Rose :** Social, collaboration, partage.

ZDNet : Comment qualifieriez-vous la nature de votre service ?

Kevin Rose : Social, collaboration, partage.

Kevin Rose n'est pas le seul à se prononcer de la sorte. Partageons, mes frères, car telle est la volonté du Web 2.0 et des réseaux sociaux. Pour des millions de gens, tout cela est très sérieux. Si vous ne partagez pas, si vous n'êtes pas transparent, vous êtes suspect. Même le jeune et arrogant président de Facebook, Mark Zuckerberg, considère que la notion de vie privée est un geste de fermeture et non d'ouverture. Le PDG de Google, Eric Schmidt, considère, quant à lui, que si vous n'avez rien à cacher, vous n'avez pas à vous inquiéter. En ce qui me concerne, une morale dictée par des entreprises qui font des milliards de dollars sur le dos d'une œuvre collective a très peu de poids. Je peux facilement m'en passer. Et vous ? Pourtant, tout concourt à ce que vous vous exprimiez. Il est essentiel que vous le fassiez, autrement, Google, Facebook et Twitter ne pourraient vous offrir leurs services gratuits. Ce qui est visé, ici, c'est une reconfiguration systématique de la société. L'ouverture, la collaboration, le partage et la transparence doivent être les valeurs qui vous motivent.

Au-delà de mes états d'âme, qui sont en totale contradiction avec ceux de toutes les Mireille de ce monde qui en sont venues à la conclusion qu'il fallait procéder à une mise en scène d'elles-mêmes à travers Facebook et Twitter pour obtenir la reconnaissance, un nouveau phénomène a émergé : l'egocasting[35].

L'egocasting

Après le *broadcasting*, diffusion de contenus vers la masse, nous voici en plein dans l'*egocasting* à travers les outils que propose le Web 2.0, ce nouveau paradigme de la diffusion du moi dans l'univers numérique.

L'egocasting, c'est la capacité pour chacun de pouvoir produire, diffuser et consommer à volonté tous les contenus, sans filtre, sans censure et sans contrôle.

Au tournant du deuxième millénaire, les blogues nous ont permis de nous exprimer librement par écrit. Un peu plus tard, YouTube a ouvert toute grande la porte à l'expression visuelle. Au milieu des années 2000, les médias sociaux sont venus investir Internet. Facebook et Twitter ne sont que quelques-uns de ces représentants de notre nouvelle grégarité par technologies interposées.

Au cours de la même période, les services d'autoédition et d'impression à la demande ont permis à ceux qui le veulent bien de devenir des auteurs. La question n'est pas de savoir si les contenus produits sont de qualité ou non ; ce qui importe est la capacité pour un individu de se soustraire au processus parfois humiliant de voir son œuvre refusée par un éditeur et d'accéder ainsi au livre papier sans contrainte. C'est aussi ça, l'egocasting : moi, pour moi, avec moi, dans un retour incessant vers moi et sans contrainte. Ce nouveau tracé de la frontière de notre communication nous a conduits à une incroyable mise en scène et mise en valeur de nous-mêmes. ET NOUS Y CROYONS !

Cette glorification de l'ego, au plus pur sens du terme, est en même temps un processus qui reconfigure la société en profondeur. La complexification croissante de notre infrastructure technologique et de notre culture nous impose une nouvelle vision du monde, où l'ego tient une place prépondérante. C'est la toute nouvelle frontière du moi, celle imposée par une mise en réseau incontournable de chaque membre de la société. Voici, d'ailleurs, un exemple fort éloquent à propos de cette mise en scène et de cette mise en valeur de soi.

Avez-vous assisté récemment à une conférence ou à un séminaire quelconque ? Ce qui se passe dans ces endroits est absolument sidérant : la moitié des gens n'écoutent pas vraiment le conférencier, occupés qu'ils sont, avec leur ordinateur, leur iPad ou leur téléphone portable, à reprendre sur Twitter ou Facebook les propos du conférencier. De plus en plus, on retrouve sur la scène un écran (*tweetwall*) qui affiche en temps réel le flux de tous ceux qui font des commentaires sur Twitter à propos de la conférence. C'est à qui sera le plus mis en évidence et à qui sortira le plus rapidement l'information. Ce véritable ballet de commentaires sert à se mettre de l'avant. J'ai même lu le commentaire d'un participant sur l'écran qui, au vu et au su de 300 congressistes, mentionnait que le conférencier ne tenait pas suffisamment compte du flux de commentaires affichés sur l'écran et qu'il devrait mieux interagir en temps réel avec ceux-ci.

On n'en peut plus d'attendre ; il faut communiquer, car le flux des réseaux sociaux exige de l'information, il carbure à celle-ci. Sans information, le moindre sujet tombe rapidement dans l'oubli. Vous vous sentez l'obligation de transmettre en temps réel tout ce qui se dit ou se fait à propos de n'importe quoi. Autrement, vous avez l'impression que quelqu'un d'autre se mettra en valeur avant vous à propos d'un sujet quelconque. Et ça, c'est inacceptable ! Pourquoi ? Parce qu'on vous vole la vedette. C'est un peu comme une téléréalité.

Les microprocesseurs vous ont affranchi d'une autre contrainte : celle d'être assis devant votre ordinateur pour vous exprimer. La mobilité, dopée à la haute définition, incarnée par les téléphones portables et autres gadgets mobiles, vous a totalement absorbé dans un acte tout personnel de consommation de contenus et de diffusion de vous-même. Les contraintes de partage ont totalement éclaté. L'egocasting procède de cet éclatement.

Cette dimension sans contrainte, sans filtre et sans contrôle de consommation de contenus est non seulement un des deux piliers de l'egocasting, mais aussi un trait dominant de la personnalité de l'humain devenu nœud du réseau : je, me, moi. Le réseau lui donne accès à ce qu'il veut. Le réseau est pourvoyeur ; il suffit de s'y connecter. Le réseau n'encadre pas, ne régit pas. Vous êtes en présence d'infinies possibilités avec le réseau. Pourquoi ne vous y connecteriez-vous pas ? Le réseau vous l'impose. Il n'en tient qu'à vous d'obéir ou non à cet impératif. Par contre, ne pas y obéir, c'est se couper de connexions potentielles qui pourraient faire croître votre propre réseau. N'oubliez pas que votre avenir professionnel passe par le réseau, tout comme votre vie sociale. L'ensemble de votre vie est conditionné par le nombre de connexions que vous avez avec d'autres nœuds du réseau. Les réseaux sociaux deviennent essentiels pour augmenter le nombre de vos connexions.

Le paradoxe de l'egocasting

Nous participons tous à cette œuvre collective qu'est le Web 2.0 dès que nous nous branchons et que nous interagissons. Et c'est justement là où intervient, pour des millions d'internautes, la magie des réseaux sociaux, une dindification à grande échelle. À différents degrés, nous sommes tous tombés sous le charme de cette nouvelle société virtuelle de partage, alors que dans le monde réel, nous nous refermons de plus en plus sur notre petit moi. J'aimerais vous démontrer comment nous avons accepté de vivre avec cette contradiction importante. D'une façon ou d'une autre, nous n'en sommes pas à une contradiction près. Par contre, cette attitude d'ouverture/fermeture est en train de redessiner les cartes de nos frontières sociales – virtuelles ou réelles.

Avec tous les gadgets technologiques mis à notre disposition, plus besoin d'être en présence de l'autre pour communiquer avec lui. Un protocole de communication s'occupe de tout. La communication par technologies interposées est donc plus performante. Terminé l'encombrement du contexte social pour communiquer ! Même plus besoin que l'autre soit disponible pour recevoir notre message. Les serveurs informatiques se chargeront de le livrer au prochain branchement de notre interlocuteur.

L'egocasting impose des modifications en profondeur dans nos relations avec autrui et la société en général. **En colonisant le monde virtuel, nous avons abandonné l'espace public du monde réel. Nous sommes en train de reconfigurer en profondeur notre relation au réel.** Le monde virtuel, c'est le Far Web, l'aventure, l'exploration et la découverte ; la vie réelle, c'est la recherche de la sécurité.

LE PARADOXE DE L'EGOCASTING

Monde virtuel Liberté d'expression	Monde réel Restriction de l'expression
Avec la montée en puissance des médias sociaux, nous ne voyons strictement aucun inconvénient à exposer publiquement notre vie privée. D'ailleurs, le jeune PDG de Facebook, Mark Zuckerberg, est venu dire, en 2010, que la notion même de vie privée n'était plus à la mode. Plus de frontières entre vie privée et vie publique. Croyant témoigner de rien, on révèle beaucoup.	Nous refusons que les organismes gouvernementaux ou les entreprises puissent détenir des informations concernant notre vie privée. Nous sommes toujours réticents à fournir la moindre information qui permettrait de faire des recoupements à partir de différentes bases de données. Nous craignons par-dessus tout que les compagnies d'assurance aient accès à notre dossier médical et qu'elles puissent nous pénaliser en fonction de notre état de santé. En un mot, nous tenons mordicus à notre vie privée.
Facebook, Twitter, YouTube, Flickr et les blogues sont devenus de puissants outils d'autopromotion. Nous avons créé une société d'adoration mutuelle : je te cite si tu me cites. Il faut se mettre de l'avant. C'est la condition pour être reconnu. Ici, l'autopromotion est inclusive.	La promotion excessive de soi dans le monde réel est régulée par un ensemble de protocoles tacitement admis par tous les membres d'une société. Par exemple, si votre collègue ne cesse de se mettre de l'avant pour mieux paraître auprès du patron, il sera mal perçu par ses pairs. Ici, l'autopromotion est exclusive.
Nous refusons que soient mises en place des mesures de contrôle. Si on tente de réguler sur Internet la consommation ou la production de contenus, des hordes d'internautes se lèvent et passent à l'attaque. Ici, nous privilégions l'audace.	Dans le monde réel, nous désirons que nos gouvernements mettent en place de plus en plus de mesures de contrôle pour nous protéger de tout et de rien. Du port de la ceinture de sécurité jusqu'aux sacs réutilisables, en passant par les campagnes antitabac, tout concourt à faire de notre environnement un endroit sécuritaire, où l'inattendu n'a pas, ou peu, sa place. Notre vision du monde, depuis 40 ans, en fonction de l'écologisme, nous a conduits au principe de précaution. Ici, nous préférons la prudence à l'audace.

Jour après jour, plus nous avançons dans notre conquête de l'espace virtuel, plus nous nous y investissons, plus nous délaissons insidieusement l'espace public du monde réel. Nous vivons toujours dans ce monde réel, mais nous y sommes de moins en moins présents. Notre société est en transhumance. Nous laissons maintenant le contrôle de l'espace public aux caméras et aux forces de l'ordre. Même plus, nous sommes en passe de judiciariser tout l'espace public.

Faisons le point

Pour ceux qui, comme moi, ont vécu les années 1960 et 1970, nous nous rappelons deux choses.

La première: nous n'avions pas 500 amis, comme le permet Facebook, ni 1000 personnes qui nous suivaient pour ce que nous avions à dire à propos de tout et de rien. Le monde virtuel n'existait pas, sauf dans notre imagination ou après usage de quelques drogues illicites. Nous vivions dans le monde réel. Nous l'avions totalement investi.

La seconde: nous avions un certain sentiment de liberté. Nos parents ne nous interdisaient pas de jouer dehors à la brunante venue. Personne ne nous disait de porter un casque pour faire du vélo. La seule peur que nous avions, et qui était collectivement partagée, était de finir vitrifiés dans le souffle d'une bombe atomique. La peur, à cette époque, avait le mérite d'être claire, nette et précise : l'anéantissement total. Aujourd'hui, la peur est diffuse, elle n'a plus de visage précis. Elle s'incarne dans le terrorisme, la pollution, le cancer, le réchauffement climatique, les crises économiques, les sacs de plastique, etc. Elle est partout : dans le métro, dans les lieux publics, au centre-ville ; parfois, elle est reconnaissable, car notre environnement urbain est truffé de caméras qui épient nos moindres gestes. Grâce aux caméras de surveillance, nous vivons avec un faux sentiment de liberté. En fait, la restriction est devenue la norme. Tout concourt à tout restreindre. On abandonne alors le monde réel, frustré par les mille et une restrictions présentes partout.

Je suis tout à fait conscient que nous sommes en 2011 et que le passé ne reviendra pas. Je ne ressasse surtout pas le passé. Je ne suis pas réactionnaire, loin de là. J'établis plutôt un parallèle avec le présent. Je m'en contrebalance de savoir si le passé était mieux que le présent, ou vice-versa, tout comme je m'en contrebalance d'admettre ou non qu'il y a un réchauffement climatique. Ce genre de débat n'a d'ailleurs aucune importance. Ceux qui prêchent un discours, tout comme ceux qui s'y opposent, sont enfermés dans leur propre système de valeurs. L'un équivaut l'autre en matière d'argumentation, ce qui n'apporte strictement rien. Ce qui importe, c'est de comprendre quels sont les impacts de votre investissement massif dans une tendance ou une croyance. Autrement dit, qu'est-ce qui pourrait vous empêcher d'être dindifié ?

Bienvenue dans votre troisième démission personnelle en souscrivant massivement au monde virtuel !

Chapitre 11

Troisième démission personnelle

Avec les structures en réseau, nous devons faire face à la puissance de l'imprévisible, tant dans le monde réel que dans le monde virtuel. Rappelez-vous le schéma de base du premier chapitre à propos de la mécanique des tendances (p. 21, début du chapitre 1). Vous êtes au point de convergence de **3 grandes forces** :

1. Les visions du monde que propose votre milieu ;

2. Les médias qui font circuler les visions du monde ;

3. Les événements imprévisibles qui marquent l'histoire.

Autant vous était-il possible, avant l'arrivée de la société en réseau, de réagir aux aléas des événements imprévisibles, autant il vous est aujourd'hui impossible de le faire. En mettant en place toujours de plus en plus de mesures de contrôle, nous ne pouvons plus maîtriser les événements imprévisibles. Et ceux-ci ne feront plus seulement que marquer l'histoire, ils pourraient, chaque fois, la faire basculer.

Big Brother is watching you

Contrôler, c'est empêcher la catastrophe de survenir. Pourtant, aussi paradoxale que la chose puisse paraître, **elle est là, votre démission personnelle : vous acceptez ces mesures de contrôle, visibles ou invisibles, partout et à propos de n'importe quoi, qui émoussent votre capacité de réagir à l'imprévisible.** Par exemple, le port de la ceinture de sécurité et les sacs gonflables ont large-ment contribué à réduire le nombre de décès, mais « à l'échelle mondiale, l'aug-mentation des parcs de véhicules et l'aménagement des routes ont eu comme conséquence non intentionnelle l'accroissement épidémique des blessures cau-sées par les collisions de la route [...] La moitié de ceux qui meurent dans des collisions de la route sont des piétons, des cyclistes ou d'autres usagers de la route vulnérables pris dans le trafic routier »[36]. C'est ça la puissance de l'impré-visible ! Je m'explique.

Nous faisons face à un dilemme. Dans le monde virtuel, nous cherchons à attein-dre la plus grande liberté possible, et dans le monde réel, la plus grande sécurité possible. Ces deux mondes, nous l'avons vu dans le chapitre précédent, nous im-posent des comportements contradictoires. Ce dont nous ne nous rendons pas compte, c'est que la liberté dans le monde virtuel est totalement illusoire. Nous y sommes traqués, pistés et surveillés, au bénéfice des Google, Facebook et Twitter de ce monde. Et cela ne nous gêne pas, ou si peu. Pourquoi ? Parce que dans le monde virtuel, cette surveillance est discrète et invisible. Elle se terre à notre insu dans le code tordu des logiciels. Invisible, elle est tout de même omniprésente. C'est la plus pernicieuse de toutes les formes de contrôle. Lorsque nous laissons Google coloniser tous les recoins du Web avec sa publicité, lorsque nous étalons notre vie privée sur Facebook ou Twitter par l'egocasting, nous ne remarquons pas que ces entreprises déploient des moyens extraordinaires pour contrôler tout ce que nous y faisons. Sans ces mesures de contrôle, il leur serait impossible de nous proposer tous leurs merveilleux services.

En vous soumettant à ces mesures de contrôle invisibles sur lesquelles vous n'avez aucun contrôle, vous augmentez d'autant votre fragilité. Qui peut vous affirmer qu'un jour toutes ces informations vous concernant ne seront pas col-ligées par le logiciel d'un petit futé qui obtiendra un portrait assez fidèle de votre personnalité ? Chaque intervention que vous faites, chaque site que vous visitez, chaque hyperlien que vous inscrivez vous trahissent. Un exemple ? Aux États-Unis, si vous avez un compte Twitter et que vous avez inscrit des liens vers les révélations de WikiLeaks, vous pouvez oublier une éventuelle carrière dans la fonction publique ou parapublique. Vous pensez qu'en effaçant ces interventions de votre compte Twitter vous passerez inaperçu ? N'entretenez aucune certitude à ce sujet ! La vie privée dont vous pensiez avoir le plein contrôle pourrait vous échapper. Et c'est votre histoire qui basculera.

Autant la surveillance est discrète et invisible dans le monde virtuel, autant est-elle concrète et visible dans le monde réel. Caméras de surveillance, gardiens de sécurité, patrouilles policières, reconnaissance faciale, etc., les moyens ne manquent pas. L'imagination fertile des paranoïaques de la sécurité non plus, comme le prouve Global Rainmakers inc. (GRI). Cette firme américaine a mis au point une technologie qui balaie votre iris même si vous êtes en mouvement à plus de 10 mètres[37]. Étant donné que la structure de votre iris permet une identification largement supérieure à celle de votre empreinte digitale, GRI a tout simplement l'ambition de faire des espaces publics les endroits les plus sécuritaires du monde. Selon Jeff Carter, directeur du développement chez GRI, « dans le futur, que vous entriez à la maison, que vous ouvriez la portière de votre auto, que vous entriez dans votre bureau, que vous renouveliez une ordonnance à la pharmacie ou que vous obteniez une copie de votre dossier médical, tout cela sera contrôlé par le truchement de l'analyse de votre iris ».

Ce qui nous est ici proposé, c'est un contrôle total sur nos déplacements et nos agissements, ni plus ni moins. Terminée la tricherie ; la transparence intégrale prônée par les gourous du Web nous attend. « D'ici 10 ans, chaque personne, chaque endroit, chaque objet sur la planète sera relié au système de reconnaissance de l'iris », rajoute Carter. C'est l'achèvement de la mise en réseau de la société. Je ne sais pas pour vous, mais moi, cette société ne m'intéresse pas du tout.

À titre expérimental, la ville de León, au Mexique, sera la première à profiter de ce système de surveillance orwellien. Il sera utilisé dans les transports en commun, les guichets automatiques bancaires, les commerces et les aéroports. Selon GRI, son utilisation permettra d'enrayer la fraude dans les transports communautaires, les voleurs à l'étalage se verront interdire l'accès à certains commerces, certaines personnes ne pourront plus prendre l'avion et les criminels seront suivis à la trace. On pourra même utiliser ce système pour vérifier si les camionneurs ont dépassé leur quota d'heures de conduite. Inquiétant.

Comme si ce n'était pas assez, dans le cadre du Mind's Eye Program, le Pentagone a mis au point une caméra intelligente en mesure d'anticiper vos gestes et mouvements[38]. Imaginez un instant ces caméras déployées dans un aéroport. La donne de la sécurité est totalement changée. Rapides et efficaces, les logiciels qui les supportent sont alors en mesure d'avertir l'agent de sécurité le plus près. On coupe l'herbe sous le pied de plusieurs fauteurs de troubles. C'est la sécurité dans l'instantané, ici et maintenant.

Voyez-vous toutes les possibilités d'une telle application dans le monde de l'industrie, où les bris de machines seraient anticipés, et dans le monde du transport aérien ou des trains à grande vitesse, où les moindres défaillances pourraient être identifiées avant qu'elles se produisent ? On n'arrête pas le progrès en matière de sécurité ! Le *Minority Report,* de l'auteur de science-fiction Philip K. Dick et du cinéaste Steven Spielberg, est presque devenu réalité. Imaginez maintenant ce système de caméras intelligentes couplé à celui du contrôle de l'iris : c'est la société totalitaire. Je joue les alarmistes ? Pas du tout. En matière de mise en réseau des outils de contrôle, tout est possible.

L'illusion de la robustesse

Aux États-Unis, avant les années 1990, avant la mise en réseau de tout ce qui compose la société, il y avait une multitude de petites banques, d'entreprises et d'industries indépendantes. Lorsque l'une d'elles faisait faillite, les dégâts étaient limités à ses actifs, à ses employés, ainsi qu'à ses clients et fournisseurs directs. Jamais l'ensemble de l'économie n'était mis en péril. La planète n'était pas interconnectée, alors c'était un événement malheureux, rien de plus.

Au début des années 1990, dans la mouvance de la mondialisation, les grands conglomérats financiers, industriels et commerciaux se sont constitués en un inextricable réseau. On a donc augmenté de façon significative l'impact des fermetures ou des faillites de ces géants. Cela me fait dire que **la mise en place de toujours**

plus de mesures de contrôle contribue sûrement à réduire les risques, mais ces mesures de contrôle créent d'autres écueils que nous ne pouvons éviter. C'est une autre démonstration de la puissance de l'imprévisible.

Comme l'a souligné Nassim Nicholas Taleb à propos de la mise en réseau de la société, « nous aurons moins de crises, mais plus de crises sévères. Plus rares seront les crises, moins nous en saurons à propos de leurs impacts. Ce qui revient à dire que nous en saurons de moins en moins à propos de la possibilité du déclenchement d'une crise »[39].

La crise de 2008, sans vouloir jouer les Cassandre, n'était peut-être qu'une répétition à grande échelle, histoire de tester le terrain. Avons-nous ne serait-ce qu'une petite idée de ce qui se passera lorsqu'une nouvelle crise financière se pointera ? Je ne le sais pas, et personne ne le sait. Tout ce que nous pourrions en dire ne serait que pure spéculation. Par contre, il se pourrait bien que le prochain événement imprévisible ait un impact majeur et dévastateur. C'est également cela la puissance de l'imprévisible : la catastrophe est présente dans les moindres nœuds d'une structure en réseau. Il est impossible de la débusquer, car la série d'interconnexions possibles est infinie. Ceux qui affirmeront le contraire sont soit des devins, soit des prophètes, soit des gourous ! Andrew Grove, l'ex-président de la société Intel, a merveilleusement bien résumé l'affaire : « Quoi que vous fassiez, l'inévitable est certain de se produire ou est en train de se produire[40]. »

Faisons le point

Imaginez, pendant quelques secondes, s'il fallait que la prochaine catastrophe soit technologique, donc de type réseau. Toute l'infrastructure financière et économique s'écroulerait. La chaîne d'approvisionnement en nourriture serait gravement perturbée. Étant donné que tout fonctionne en flux tendu, en temps court et syncopé, et comme nous avons perdu nos réflexes pour travailler dans un monde où il n'y a pas de flux tendu, il faudrait tout reprendre et réapprendre. Recommencer à constituer des stocks, les entreposer, les gérer, les distribuer, les acheminer, les livrer, etc.

La communication, privée de son instantanéité, nous ramènerait à une ère pré-Internet. Fini le courrier électronique, retour au télécopieur et à la poste. Au travail, les gens qui ont du talent et de l'expérience feraient leur retour, car c'est ce dont la société a le plus besoin quand elle ne fonctionne pas en flux tendu. Exit les réseaux sociaux. Portrait apocalyptique s'il en est ! Terminée la consommation instantanée. En faillite la Chine. Balances commerciales en voie de rétablissement.

Que faut-il faire pour se prémunir d'une telle catastrophe ? Mettre en place de plus en plus de mesures de contrôle. J'ironise ! En fait, non. J'exagère à peine !

Conclusion

Osez savoir !

« Dès que vous vous retrouvez du côté de la majorité,
c'est le temps de prendre une pause et de réfléchir. »
Mark Twain

Être dindifié, c'est se retrouver du côté de la majorité sans avoir exercé son propre jugement. Voici une anecdote à ce propos. Il y a de cela quelques années, ma nièce était venue à la maison avec deux de ses copines, deux gothiques écolos. Je ne sais pas si l'un va de pair avec l'autre, mais bon. Toujours est-il que le sujet de discussion a inévitablement glissé sur l'environnement.

« Oui, mais, monsieur Fraser, me dit l'une des deux gothiques, il y a vraiment urgence d'agir. L'avenir de l'humanité est en jeu. Vous ne croyez pas que l'humanité court à sa propre perte ?

— Pourquoi, selon toi, l'humanité court-elle à sa perte ?

— Parce que nous consommons trop. Parce que nous ne faisons pas du véritable développement durable. Parce que nous ne recyclons pas. Parce que nous saignons la planète à blanc. Parce que nous ne sommes pas végétariens. Parce que nous ne mangeons pas bio. Parce que nous ne consommons pas équitable. Parce que nous utilisons nos voitures. Parce que nous laissons les camions de marchandise circuler d'un bout à l'autre du pays. Parce que nous ne développons pas assez d'énergies vertes. Et il y a encore plein d'autres raisons, me dit-elle sans se démonter.

– Ton savoir m'impressionne ! Où as-tu appris tout ça ?

– À l'école et sur Internet. Je vais régulièrement sur le site de Greenpeace, tout comme sur celui de David Suzuki. J'ai lu tous les livres d'Hubert Reeves. Je participe à des blogues traitant de l'environnement. Je suis très engagée dans le programme Défi Climat ! Je milite pour la cause ! Il est passé le temps de se poser des questions. Il faut passer à l'action ! » me dit-elle avec une conviction juvénile hors du commun.

Cette jeune fille était tellement sincère, tellement convaincue dans sa récitation des litanies du prêt-à-penser des gourous de l'écologie. Bravo.

Son discours, par contre, était révélateur : celui d'une crédulité totale devant tous ceux qui ont des vérités à nous proposer. Au risque de déplaire à plusieurs d'entre vous, ceux qui gobent les discours de Greenpeace, de David Suzuki, d'Hubert Reeves, d'Al Gore, de Nicolas Hulot, de Steven Guilbeault ou de Laure Waridel sont des dindes. Ceux qui, tout comme l'amie gothique écolo de ma nièce, croient détenir des vérités scientifiques à propos de l'environnement, alors qu'ils sont systématiquement incapables d'en faire la démonstration ou d'en énoncer les raisons fondamentales, sont pires que des ignorants. Ces personnes ont la certitude de savoir, alors qu'en réalité, elles ne font que croire.

Croire que l'on sait est encore pire qu'ignorer. Être ignorant sans le savoir est une faute faite à soi-même. Lorsque vous acceptez tous les discours sans exercer votre jugement parce qu'une autorité vous l'affirme, vous êtes dans une phase aiguë de dindification. Lorsque vous vous rangez à l'opinion des dindificateurs, vous devenez leur esclave. Éviter d'être dindifié, c'est refuser l'opinion, le préjugé, la croyance, la superstition et la pensée magique.

Avez-vous déjà pris conscience que nous faisons nôtres des raisonnements que nous n'avons même pas raisonnés ? Avez-vous constaté qu'il est très pénible de nous séparer de ce que nous croyons être nos propres croyances ? Avez-vous constaté à quel point il est difficile de changer d'avis ? Pourquoi est-ce si difficile ? Parce que la force d'attraction de ne pas réfléchir est plus puissante que tout le reste. S'en remettre au jugement des autres ne demande ni effort ni raisonnement. Il suffit de répéter. Tant que cela semble cohérent, on s'y colle.

Le Web 2.0 nous a fourni de fantastiques outils pour nous exprimer à propos de tout et de rien. On a soudain élevé au rang de producteur d'informations le premier quidam venu. Selon Shayne Bowman et Chris Willis[41], cette participation citoyenne servirait à consolider les assises de la démocratie tout en fournissant des informations fiables, précises et diversifiées. Permettez-moi non seulement d'en rire, mais de m'en tordre de rire ! Mais qui est, au juste, ce citoyen qui se croit investi de la mission d'informer[42] ? Pour ma part, c'est quelqu'un qui pratique l'egocasting. Et quelle est la finalité de l'egocasting ? La mise en valeur et la reconnaissance de soi. Dans de telles circonstances, personne n'arrivera à me faire croire que le blogue des soi-disant journalistes citoyens sert à défendre les intérêts de la démocratie. D'ailleurs, la crise entourant les élections de juin 2009 en Iran est éclairante à ce sujet. Ce n'est pas parce que la population iranienne a massivement utilisé Facebook, Twitter, YouTube et les blogues, ces supposés grands outils de l'expression citoyenne et démocratique, que la démocratie est entrée en force dans ce pays.

La romancière allemande Thea Dorn a eu une réflexion intéressante à ce sujet :

> « L'effet le plus problématique d'Internet pour les intellectuels publics ne vient pas de ce que tout un chacun peut créer un blogue et s'autoproclamer intellectuel ; il y a toujours eu des Cafés du commerce. Internet ne fait qu'élargir leur rayon d'action. L'autorité des intellectuels est minée bien plus fondamentalement par la confusion croissante des sphères professionnelle et amateur sur la Toile. Je n'arrive pas à comprendre pourquoi les sites Web des journaux et les portails d'information sollicitent en permanence les internautes : "Participez ! Donnez votre avis ! Devenez critique !" Que je sache, une boulangerie ou une compagnie d'aviation ne disent pas à leurs clients ou à leurs passagers : « Participez ! Faites vous-même votre pain ! Prenez donc un peu les manettes[43] ! »

Le blogue et les réseaux sociaux sont ce vecteur qui permet à tout un chacun de devenir « quelque chose citoyen » pour épurer le monde et le façonner à sa vision. Le philosophe Émile Cioran le faisait d'ailleurs bien remarquer : « Regardez tout autour de vous : partout des larves qui prêchent [...] Tous s'efforcent de remédier à la vie de tous : les mendiants, les incurables même y aspirent : les trottoirs du monde et les hôpitaux débordent de réformateurs. L'envie de devenir source d'événements agit sur chacun comme un désordre mental ou une malédiction voulue. La société, un enfer de sauveurs[44] ! »

Pour pasticher Émile Cioran, disons que le blogue et les médias sociaux ont permis à des légions de larves de s'exprimer. Lisez attentivement tous les blogues à saveur de justice sociale, d'environnement et de santé, d'altermondialisme, de nouvel âge, d'ésotérisme, de biologie totale ou tout ce que vous voulez, et vous vous rendrez rapidement compte que tous s'efforcent de remédier à la vie de tous. Ce qu'on vous propose dans ces blogues, c'est une planète saine, belle et pure, sans tache et d'une grande beauté, verte et bleue. On veut la nature en ville. On veut que tout soit impeccable et réglé au quart de tour. On veut LA grande justice sociale pour tous. On veut des corps jeunes qui défient le temps et le vieillissement. On veut une vie performante et efficace à l'image de l'efficacité que nous procurent les technologies. En un mot, on veut la perfection de soi pour vivre dans un environnement qui protège ce soi.

Osez penser par vous-même !

Dès lors que vous vous en remettez au discours des blogueurs, des quelque chose citoyen, des écologistes, des intégristes de la santé, des gourous du Web, des chantres de l'économie ou de tous les dindificateurs patentés de la planète, vous abaissez votre garde ! Vous faites œuvre chaque fois de démission personnelle devant votre obligation de penser par vous-même. Chaque fois, vous êtes dindifié.

Penser par soi-même, juger par soi-même des choses et des discours qu'on vous propose ne signifie pas vous opposer à ces mêmes discours. Si vous vous y opposez, vous vous enfermez tout simplement dans ce à quoi vous vous opposez. Vous n'avez donc plus de distance critique. Par exemple, je ne m'oppose ni au discours du réchauffement climatique ni au discours des « climat-sceptiques ». Ce qui m'intéresse, au premier chef, c'est de comprendre quels seront les impacts avérés ou non de ces discours sur notre vie. Le reste m'importe peu. Que faut-il alors faire pour juger soi-même des choses ? Penser par soi-même. Que veut dire penser par soi-même ? S'en tenir à ce qu'on comprend, et à cela seulement. Comment y arrive-t-on ? En s'interdisant de laisser sa raison passive. Certes, il est impossible de tout apprendre et de tout comprendre. Alors, comment arrive-t-on à penser par soi-même sans tout connaître ?

Pour commencer, vous devriez peut-être éviter de lire les blogues ou les journaux en ligne. L'opinion personnelle qu'on permet là d'exprimer est avant tout un préjugé ou une idée préconçue, et cette liberté de s'exprimer est purement illusoire. Dans les années à venir, se servir de sa raison deviendra de plus en plus difficile. Pourquoi ? Parce que la prolifération galopante des moyens pour s'exprimer librement à propos de tout et de rien fait en sorte que la signifiance est de plus en plus noyée dans l'insignifiance. Exercer sa raison n'est pas chose facile, on en convient.

Je vous propose tout de même un petit exercice intéressant. Supposons, en écoutant la radio, la télé, ou en lisant un blogue, que vous êtes devant un discours à propos de l'environnement, de la santé ou des réseaux sociaux. Voici la démarche que je vous suggère pour exercer votre jugement :

- ◉ **Premièrement, ne vous opposez pas au discours proposé ; nous avons une propension naturelle à le faire.**

- ◉ **Deuxièmement, demandez-vous quels sont les intérêts de celui qui prononce le discours.**

- ◉ **Troisièmement, établissez où se situe le discours sur la courbe de la dindification (voir p. 40).**

- ◉ **Quatrièmement, relevez les contradictions dans le discours ; il y en a toujours.**

- ◉ **Cinquièmement, déterminez quels sont les discours opposés à ce discours.**

- ◉ **Sixièmement, si le discours vous laisse croire que demain sera la réplique d'hier ou d'aujourd'hui, prenez un temps d'arrêt pour réfléchir.**

- ◉ **Finalement, tentez de mesurer quels seront les impacts du discours sur nos vies et la société s'il est massivement accepté et adopté.**

Grâce à cette démarche, vous verrez disparaître de votre esprit toutes formes d'exaltations pour quoi que ce soit.

Vous ne succomberez plus à l'euphorie dindificatrice.

Vous serez conscient de la puissance de l'imprévisible.

Vous serez toujours là où la majorité n'est pas.

Vous serez enfin libre.

Remerciements

Le livre que vous tenez entre vos mains, tel qu'il est, aurait été impossible sans le précieux concours, la patience et le professionnalisme de Mathieu de Lajartre des Éditions Transcontinental. Je lui dois énormément, surtout de m'avoir convaincu de toujours resserrer le propos et de rendre vivant le texte ! Il m'est impossible de ne pas citer Georges Vignaux, celui qui, il y a 30 ans, en tant que professeur invité à l'Université du Québec à Chicoutimi, m'a fait comprendre que, par les discours que nous tenons, il est possible de tout découvrir du comportement humain. Et je suis devenu linguiste ! Je remercie également Roger Tremblay, mon vieux compagnon de route, qui a passé à la loupe chaque mot de ce livre, pour souvent me dire qu'il n'aimait pas et que je devais tout remettre sur le métier ! Finalement, sans l'infinie patience de mon épouse, Johanne, sans ces longues conversations philosophiques avec ma fille, Isabelle, ou les divertissements de mon fils, Alexandre, ce livre serait resté à l'état de projet.

Notes

1.   Cette courbe représente le réchauffement du climat dans l'hémisphère Nord de 1880 à 2000 (horizontalement) par palier de 0,2°C (verticalement).

2.   Une vision du monde est cohérente si elle permet d'avoir une représentation mentale de la réalité qui ne comporte pas de contradictions internes. Elle est concordante si elle est en accord avec les faits et la réalité. Par exemple, l'astrologie est une théorie cohérente, mais non concordante avec les faits.

3.   B. L. OCHMAN, *Self-Proclaimed Social Media Gurus on Twitter Multiplying Like Rabbits*, dans What's next blog?, mai 2009, http://bit.ly/cFZdMf, http://www.whatsnextblog.com/archives/2009/12/self-proclaimed_social_media_gurus_on_twitter_multiplying_like_rabbits.asp

4.   Si leur rôle est essentiel, pourquoi est-ce que je critique les dindificateurs ? En fait, je ne les critique pas : je rends compte du travail qu'ils font. J'admets le faire sur un ton sarcastique, et c'est voulu de ma part.

5.   Nassim Nicholas TALEB, *The Black Swan*, New York, Random House, 2007.

6.   Évidemment, on peut avancer nombre d'explications. Par contre, si on le fait, on se place dans la position que Nassim Nicholas Taleb a évoquée dans son livre *The Black Swan* : l'événement imprévisible devient soudainement prévisible et explicable alors que personne ne l'avait vu venir auparavant. Pour ma part, je me refuse à analyser rétrospectivement ce genre d'événement.

Si Alan Greenspan, celui-là même qui était aux commandes de l'économie américaine à l'époque, affirme qu'il n'a jamais vu venir le coup, je préfère de loin m'en remettre à cette proposition !

[7] Sylvain LEFÈVRE, « Greenpeace, des hippies au lobby », *Ecorev*, revue critique d'écologie politique, 2006, http://ecorev.org/spip.php?article473

[8] http://www.thefarm.org/

[9] Katja GASKELL, « Eco-villages: hippy town, or way of the future? », *G-Magazine*, 2009, http://bit.ly/fx2HGc

[10] Je n'ai retenu ici que les moments clés qui ont eu un impact planétaire important dans l'euphorisation de la tendance.

[11] Reportons-nous à décembre 2009. Le Climategate est relié à un coulage d'information sur Internet des bases de données de l'Université d'East Anglia, qui s'occupe de formuler les modèles climatologiques dont se sert le GIEC pour permettre aux gouvernements de prendre des décisions.

[12] Une voiture à essence qui parcourt 1 000 km produit en moyenne 220 kg de CO_2. Il vous suffit de parcourir en moyenne 4 000 km pour franchir votre quota annuel de 500 kg de CO_2.

[13] Je réitère ici que je n'ai strictement rien contre l'écologie scientifique, cette branche de la biologie qui nous permet de comprendre les interactions du vivant dans notre environnement. Là où je ne suis plus en accord, c'est lorsque qu'il y a glissement de la science vers un système de valeurs.

[14] Thaddeus RUSSELL, *A Renegade History of the United States*, New York, Simon & Schuster, 2010.

[15] En 1894, un certain Richard Sears, profitant de l'expansion des chemins de fer aux États-Unis, fit imprimer un catalogue qui permettait aux gens de commander par la poste des biens de consommation depuis son entrepôt de Chicago. Le *Book of Bargains: A Money Saver for Everyone* devint la bible de la consommation et de la standardisation des produits. Richard Sears avait fait inscrire en gros sur la page principale de son catalogue ces deux slogans : *Cheapest Supply House on Earth* et *Our trade reaches around the World*.

[16] Nicole AUBERT, *Le culte de l'urgence*, Champs essais, Flammarion, Paris, 2003.

[17] Zaki LAÏDI, *Le sacre du présent*, Flammarion, Paris, 2000, p. 158.

[18] Zygmunt BAUMAN, *Vies perdues – La modernité et ses exclus*, Paris, Éditions Payot, 2006, 255 p.

19 Jafar KHONDAKER, *Canada's Trade with China: 1997 to 2006*, Statistique Canada, http://bit.ly/dGN9Qq

20 U. S. Census Bureau, *Trade in Goods (Imports, Exports and Trade Balance) with China*, http://bit.ly/eR7Zi3

21 AFP, « Chine/France : 1er déficit commercial », *Le Figaro*, 5 novembre 2010, http://bit.ly/e21sAU

22 Rana FOROOHAR, « It's China's World We're Just Living in It », *Newsweek*, 12 mars 2010, http://bit.ly/eUzv7l

23 « Le ratio d'endettement des Canadiens atteint un record à 148,1 % », Journal *Les Affaires* et Presse Canadienne, 13 décembre 2010, http://bit.ly/hGCL0I

24 Banque de France, *Taux d'endettement des ménages,* [document PDF] 22 février 2010, http://bit.ly/h61QCM

25 AFP, « En 2008, la pauvreté touchait un quart de la population européenne », *Le Monde*, 13 décembre 2010, http://bit.ly/dEoyv2

26 Jacques BISSONNET, *Un nombre record de Canadiens recourent aux banques alimentaires*, Société, Radio-Canada, 16 novembre 2010, http://bit.ly/hIMEEi

27 David J. HULCHANSKI, et autres, *Finding Home, Policy Options for Addressing Homelessness in Canada*, Cities Centre Press, Université de Toronto, 2009 [document PDF], http://bit.ly/fm1CYI

28 Dominique FLEURY et Myriam FORTIN, *Lorsque travailler ne permet pas d'échapper à la pauvreté : une analyse des travailleurs pauvres au Canada*, document de travail, Ressources humaines et Développement social Canada, août 2006, 206 p.

29 Emmanuel TODD, *Après la démocratie*, Gallimard, Paris, 2008, p. 242.

30 Chris ANDERSON, *The Long Tail*, Hyperion, New York, 2006.

31 Mathieu CHARTIER, « Chiffre d'affaires record pour Google », *PCWorld*, 16 juillet 2010, http://bit.ly/ht3f8D

32 L'avantage d'offrir des versions bêta, c'est que le fournisseur n'est pas responsable si ça fonctionne mal. L'autre avantage est que ce sont les utilisateurs qui identifient pour lui les bogues.

33 Jeff JARVIS, « Whither Magazines », *Buzz Machine*, 4 août 2010, http://bit.ly/gaB15Z

34 Site qui propose aux internautes de voter pour la page Web qu'ils considèrent comme la plus intéressante, http://www.digg.com

35 Christine Rosen est la première à avoir parlé de la notion d'egocasting. Elle est rédactrice principale du magazine *The Atlantis*, qui traite des impacts sociaux des différentes technologies dans nos sociétés, http://www.thenewatlantis.com/authors/christine-rosen

36 Beth EBEL, « Les blessures causées par les collisions de la route », dans R. E. Tremblay, et autres, *Encyclopédie sur le développement des jeunes enfants*, Montréal, Centre d'excellence pour le développement des jeunes enfants, 2010 : 1-7, http://bit.ly/dTHHvE

37 Austin CARR, « Iris Scanners Create the Most Secure City in the World. Welcome, Big Brother », *Fast Company Magazine*, août 2010, http://bit.ly/haYHgb

38 Defense Advanced Research Projects Agency (DARPA), *DARPA Kicks Off Mind's Eye Program*, 4 janvier 2011, document PDF, http://bit.ly/eadDmG

39 Nassim Nicholas TALEB, *The Black Swan*, Random House, New York, 2007, p. 226.

40 Andrew GROVE, *Only the Paranoid Survive: How to Exploit the Crisis Points That Challenge Every Company*, Doubleday, New York, 1999.

41 Shayne BOWMAN et Chris WILLIS, *We Media: How Auditoires are Shaping the Future of News and Information,* J. D. Lasica Editor, The Media Center, document PDF, 2003, http://bit.ly/ePh68f

42 Mon collègue et ami Georges Vignaux, dans un échange de courriers électroniques, a eu une réflexion intéressante à ce sujet : « Le blogueur est un crieur public qui attire des dindes en faisant croire que chez lui on achète de la connaissance. »

43 Pierre ASSOULINE, « Les nouveaux éditori@listes selon Alain Minc », dans *La république des livres*, 30 mars 2009, http://bit.ly/ewSsj8

44 Émile CIORAN, *Précis de décomposition*, NRF, Gallimard, Paris, 1949, p. 9.